体脂肪が落ちるトレーニング

【共著】
石井直方／谷本道哉

＼1日10分／
「クイック」▶「スロー」で自在に肉体改造

高橋書店

シャープな筋肉をつくる
New Method, Quick & Slow Training
究極メソッド

[クイック→スロー]は
特別な器具などを使わなくても
手軽に筋肥大を実現できる
まったく新しいトレーニングメソッド。
基礎代謝をアップさせて
太りにくいカラダをつくり上げる

現代男性の
カラダへの警鐘

トレーニングは、体つきを変えるためだけのものではない。
心身の健康を確保し「死の四重奏」を遠ざける有効な手段だ

肥満
体重（kg）÷身長（m）÷身長（m）で求めた数値が、18.5～25未満であれば適正範囲。25を超えると肥満と判断される。筋肉が多い人は、2ポイントほど低く見積もってもよい

高血糖
食事で摂取した糖質が細胞に取り込まれずに、血液中に多く残ってしまう状態。これが進行すると糖尿病になる

高血圧
18歳以上の場合、上が130mmHg未満、下が85mmHg未満というのが正常血圧。上が140mmHg以上で、下が90mmHg以上を高血圧という。血液粘度が高かったり動脈硬化が進んだりするのが主原因

高脂血症（脂質異常症）
動脈硬化に直結するドロドロ血というのが、この高脂血症。血中コレステロールや中性脂肪などが多いと、粘性が高まって血液が流れにくくなる

医学の急速な進歩に逆行するかのように増え続ける、心血管疾患、脳血管疾患、糖尿病などの生活習慣病。飽食の時代が生み出した社会問題ともいえるだろう。食事がぜいたくになり、労働で肉体を使わなくなった現在、肥満ぎみの男性が急激に増えた。この「肥満」が生活習慣病を引き起こす最大の原因となる。

運動不足による肥満は同時に、「高血糖」「高血圧」「高脂血症（脂質異常症）」を起こしやすい。これら4つは別名、「死の四重奏」とも呼ばれ、すべてが重複して現れると、生活習慣病で死に至る危険性が健康な人に比べ、じつに35倍も高まるとの報告もある。

トレーニングを行い、食生活を見直し、カラダを変えていくことが、この死の四重奏から逃れられる有効な手段となる。生活習慣病を、その名の通り、生活習慣の改善で遠ざけられるのだ。

[Quick→Slow] Training　●PHOTO/AFLO FOTO AGENCY

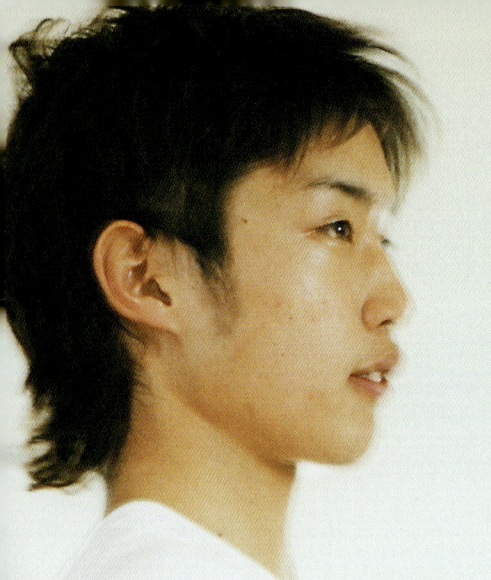

［クイック→スロー］

1日10分でもカラダが変わる

パンパンに腫れ上がらせる［スロー］、そして筋に強い刺激を与える［クイック］

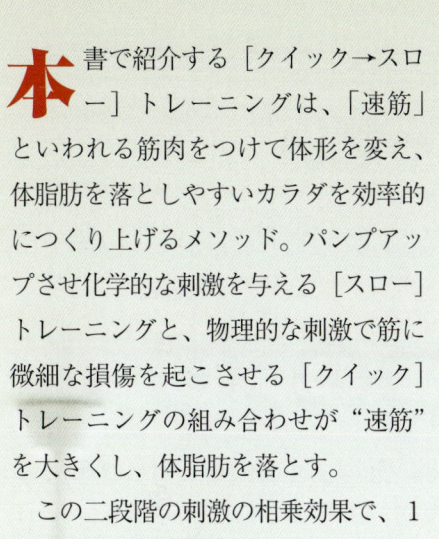

　本書で紹介する［クイック→スロー］トレーニングは、「速筋」といわれる筋肉をつけて体形を変え、体脂肪を落としやすいカラダを効率的につくり上げるメソッド。パンプアップさせ化学的な刺激を与える［スロー］トレーニングと、物理的な刺激で筋に微細な損傷を起こさせる［クイック］トレーニングの組み合わせが"速筋"を大きくし、体脂肪を落とす。

　この二段階の刺激の相乗効果で、1日わずか10分程度のトレーニングでもカラダを自在にデザインできる。

それだけじゃない

Five Merits　クイック→スロー
5つのメリット

［クイック→スロー］トレーニングは、効率よく筋肉をつけられる
まったく新しいトレーニング方法だが、魅力はそれだけではない。
ほかのトレーニングにはないメリットが、たくさんあるのだ

筋肉がついてスタイルがよくなる

［クイック→スロー］は筋肉をつけてスタイルをよくし、安静時にも脂肪を燃焼させる基礎代謝を大きくアップできる。体脂肪を落としやすいカラダになるので、結果としてスリムになる。また体脂肪を分解する働きを持つ成長ホルモンの分泌を促すので、より太りにくくなっていく。

体力がつく、スポーツがうまくなる

［クイック→スロー］は、一般的なトレーニングよりも効率よく体力をアップさせ、疲れにくいカラダをつくる。さらに［クイック］の動作は、カラダの使い方にキレを磨く。力強くすばやく動く、スポーツでいう「バネのある動き」を可能にするのだ。

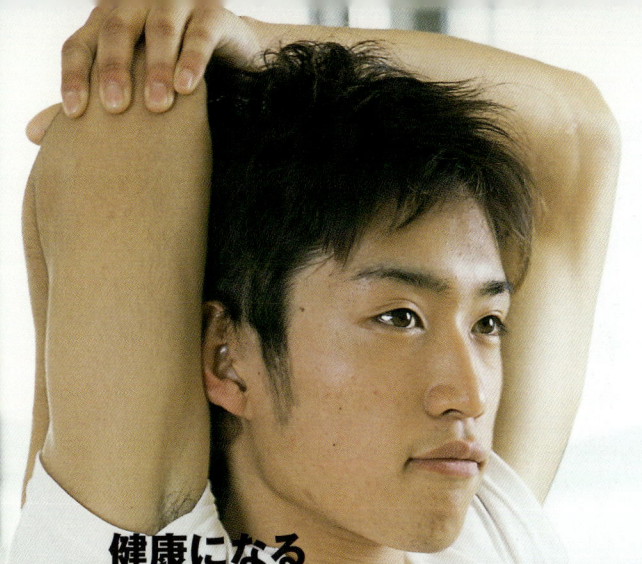

健康になる

［クイック→スロー］で筋肉が発達すると、血液の循環がよくなったり、カラダのゆがみが解消されたりするなど、健康上のメリットが多く生まれる。体力が上がることによる自信はメンタル面にもプラスに働き、仕事や私生活の充実も期待できる。

若返る

［スロー］トレーニングの大きな特徴は、成長ホルモンの分泌を促進すること。細胞を新たに生まれ変わらせる働きの強い成長ホルモンを、安静時の百倍以上も分泌できる。頭髪が増える、肌の張りが戻る、シワが減る、などの若返り効果が実証されている。

活力がみなぎる

［クイック→スロー］により、成長ホルモンだけでなく男性ホルモン（テストステロン）の分泌量もアップする。男性ホルモンは活力の源であり、やる気や精力がアップする。テストステロンレベルの高い人ほど出世する、という報告さえある。

筋肉を効率よくつけるために まず今の自分を知ろう

それぞれの項目に該当する点数を加算し、点数をつけてみよう

今のあなたは何点？

点数→	1点	2点	3点	4点	5点	あなたの得点	備考
日常の歩行時間（通勤、営業など）	10分未満	10〜20分未満	20〜30分未満	30〜40分未満	40分以上	①	日常生活でもっとも多くのエネルギーを消費する運動が歩行。だからこそ「目標1日1万歩」などとよくいわれる。ちなみに1万歩に必要な歩行時間は80分程度。日常動作で歩くぶんを差し引いても、外での移動で40分くらいは歩く必要がある。安直にタクシーやバスに乗っていないだろうか。
運動経験	ほとんどなし	趣味程度に	本格的に選手として	—	—	②	運動の効果は長く貯金できるものではないが、やはり過去の運動経験は少なからず今の自分の状態に影響する。ただ、これはエクササイズを始めたときに、過去の経験があるぶんスムーズに開始できるという意味。何も始めなければ単なる遺物にすぎず、有利性はない。
上記の運動経験からのブランク	2年以上	—	2年以内	継続中	—	③	運動習慣をやめてから時間が経つほど、カラダは運動する前の状態に戻っていく。時間が経つと昔とはまったく別のカラダになってしまうことを忘れている人が結構多いようだ。今の自分の状態をつくるのは今の自分の習慣、ということを覚えておいてほしい。

運動レベル ①

あなたの合計点（①＋②＋③）は　　　　点

BMIと疾病有病指数

BMI値と、疾病を招く関係を端的に示したグラフ。男性の場合はBMI値22.2、女性の場合は21.9がもっとも病気になりにくいといわれている。BMI値が高くなるほど危険。一般的に解釈すると、太るほど病気になりやすいということだ。ただし筋肉が多くてBMIが大きい場合は例外。自分のBMIから2くらい引いて評価してもよいだろう。

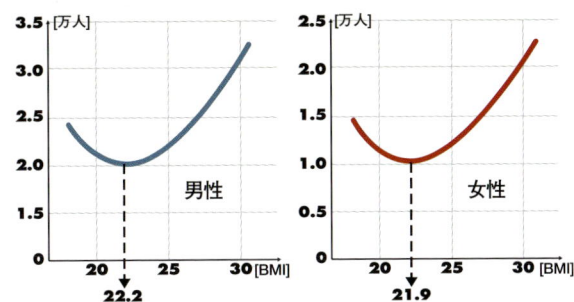

■BMIの計算式　体重(kg)÷身長(m)÷身長(m)　■ウエストヒップ比の計算式　ウエストサイズ／ヒップサイズ

点数→	1点	2点	3点	4点	5点	あなたの得点	備考
BMI 運動習慣のない人の場合	17.5未満	17.5〜20未満	20〜22.5未満	22.5〜25未満	25以上	Ⓐ	疫学的データ（上グラフ参照）では、BMI（上記参照）は22くらいがもっとも病気になりにくいとされていて、これが理想と認識されている。一般的評価として25以上が肥満、18.5未満が低体重の範囲。ただし筋トレなどのハードな運動により、筋肉が多い人は体重が重いにもかかわらず体脂肪率が低いので、その評価に補正をかけて左表のように評価する。本来、できれば体脂肪率で評価すべきだが、市販の体脂肪計では正確な値の測定が難しいので、ここでは評価の関数として用いない（P13参照）。
BMI 運動習慣があり筋肉質な人の場合	19.5未満	19.5〜22未満	22〜24.5未満	24.5〜27未満	27以上	Ⓐ	
ウエストヒップ比	0.8未満	0.8〜0.85未満	0.85〜0.9未満	0.9〜1.0未満	1.0以上	Ⓑ	ウエストヒップ比は、お腹の奥についた内臓脂肪の多さの指標になる。内臓脂肪が増えると血中の脂質濃度が上がり、生活習慣病の引き金になる危険性が拡大。ぽっこり突き出たお腹は見た目だけではなく、生命すらも脅かしかねない。

肥満レベルⅡ

あなたの合計点（Ⓐ＋Ⓑ）は　　　点

理想のカラダに導く
ボディメイクチャート

P10-11で出した数値をもとに
今のあなたにとって適切な、
おすすめのトレーニングメニューと食生活をアドバイス

【あなたの運動レベル】P10 ①

P10の得点	評価	おすすめの処方メニュー
3-6点	これから	**Step1　まずは[スロー]をていねいに** まずは筋肉を動かす感覚に慣れよう。[スロー]トレーニングを、標準の重量で5回行うところからスタート。軽重量でも筋肉には相応の負担をかけられるので、効果は十分。あわてずに少しずつ慣らしていくといい。張り切りすぎて無理をすると、かえって遠回りにもなりかねない。2〜3週間でStep2に進む。
7-10点	まずまず	**Step2　[スロー]を本格的に** [スロー]でしっかりと筋力をアップさせる段階。Step1の負荷で2回ほど慣らし運転してから、3回目から[スロー]で可能な回数まで追い込んでいくようにする。[スロー]でも筋肉痛（やや少なめ）は起こるので、無理のない範囲で。1〜2か月でStep3へ進む。
11-13点	なかなか	**Step3　[クイック→スロー]に挑戦** 体力レベルが十分なあなたは[クイック→スロー]から始めても大丈夫。ただし、大きな力のかかる[クイック]はケガをしやすいので、十分なウォーミングアップとストレッチを忘れずに。最初の1週間は5割くらいの力で、次の1週は8割くらい、3週目から全力で行うようにする。

※上記評価は目安

【あなたの肥満レベル】P11 Ⅱ

P11の得点	評価		食生活のアドバイス
10点	重度肥満		かなりの肥満。血液はドロドロで動脈硬化も進んでいる危険性が高い。今すぐ減量に取り組むべき。運動だけでは大幅に体重を落とせないので食事制限（P156〜159参照）も必要。高血圧の人が瞬間的に血圧の上がる[クイック]を行うのは危険。血圧が140以下になるまでは行わないこと。
8-9点	軽度肥満		軽度の肥満。血液・血管の状態もよいとはいえない。運動と同時に食事にも気を配る必要がある。第5章「食事で守る3か条」を実践しよう。運動と食事での心がけで、まずは内臓脂肪から減らせる。ウエストまわり（P11）の減少を、成果の目安にしよう。ベルトの穴を2つ縮めることが当面の目標。
2-7点	標準		標準的。目的にもよるが大きく食事を見直す必要はないだろう。ただし、体形は標準的でも脂もの、特に動物性の脂（肉類の脂肪）の摂りすぎは血中脂質を上げるので摂りすぎは禁物。同じ脂肪を摂るなら魚の脂や植物性の脂肪のほうが、血中脂質を下げてくれる。

※上記評価は目安

体脂肪計を上手に使ってカラダの変化を観察しよう

　体脂肪率を知るのは、トレーニングの成果を確認するうえで大切なこと。しかし、市販の体脂肪計は、じつは脂肪そのものを測っているわけではない。手足に電流を流し、その電気抵抗で体脂肪率を算出しているのだが、脂肪は文字通り脂のため、水分が多い筋肉よりも電気が通りにくくなる。この電気抵抗を利用して体脂肪率を「推定」しているのだ。

　この電気抵抗も常に一定になっているわけではなく、たとえば食後は、胃腸に血液が集まるため手足の含水量が減ってしまい、実際の体脂肪率よりも高い数値になる。運動後は、筋肉にたまった代謝物の保水作用によって水分が多くなり、低い数値が出る。また、推定式を標準体形に合わせているので、人によっては大きな誤差を生んでいる恐れもある。ちなみに電気抵抗に影響を与えるので、汗などの水分を拭いてから測定しないと、誤差が生じやすい。この点にも注意しよう。

　体脂肪計を使用するにあたっては、できるだけ測定時のカラダの状態を一定にする必要があるだろう。おすすめは起床時。毎朝の起床時の数値を比較することで、その変化がわかる。

　体脂肪は、内臓脂肪から落ち始めるので、減少しても見た目には現れにくい。だが、決まった時間に測り体脂肪率が減っていれば、トレーニングの効果が確実に反映されている証拠といえる。

よくわかる！筋肉マップ

筋肉の位置と働きを
しっかりと確認しよう。
使う筋肉を意識できるようになれば、
トレーニング効果も高まる

トレーニングを始める前に確認しておきたいのが、鍛える筋肉の位置と、その働き。運動中に使っている筋肉を強く意識するのとしないのとでは、トレーニングの効果に大きな違いが現れる。動かしている筋肉に意識を集中することが極めて重要だ。

上腕二頭筋
（じょうわんにとうきん）

腕を曲げて力を入れると、いわゆる「力こぶ」として隆起するのがこの上腕二頭筋。上腕三頭筋とともにトレーニングすることで、力強い腕をデザインできる

大胸筋
（だいきょうきん）

胸部の最表層にある大きな筋肉。厚い胸板を形成するには、この大胸筋を鍛えるのが必須。上半身のボリュームを見せるためのもっとも大切な筋肉といえる

腹直筋（ふくちょくきん）

上体を前に曲げる筋肉。前面から背骨を支え、姿勢を維持する役割もある。鍛えることで縦に割れるシャープな腹をつくれる

大腰筋
（だいようきん）

背骨と大腿骨をつなぐ筋肉で、太ももを引き上げたり姿勢を維持したりするのに使用。老化防止筋肉としてスポーツ医学や整体などで注目されている。大腰筋を鍛えることで骨盤の位置を正し、脂肪やたるみを内側から支え、代謝をよくできる

大腿四頭筋
（だいたいしとうきん）

太もも前部にある大腿直筋などの筋肉の総称。ひざを伸ばしたり太ももを引き上げたりする際に働く。大きな筋肉なので、サイズを大きくすることでエネルギー消費量を大幅に増やせる

僧帽筋
（そうぼうきん）

肩から首、背中にかけての筋肉。肩をすくめる際に働く。三角筋とともに鍛えることで、首すじのラインをすっきり整えられる

三角筋
（さんかくきん）

肩のつけ根の部分の筋肉で、その名の通り三角形をしている。腕を横に持ち上げるときに使用。三角筋を大きくしてウエストをくびれさせれば、逆三角形のシルエットができる

脊柱起立筋群
（せきちゅうきりつきんぐん）

上体を後ろに反らす筋肉。背面から背骨を支え、姿勢を維持する役割もある。正しい姿勢は筋肉を無意識のうちに使うので、それだけでエネルギーを多く消費する効果がある

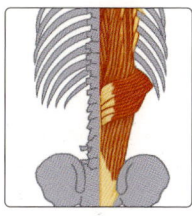

上腕三頭筋
（じょうわんさんとうきん）

二の腕の後ろ側にある筋肉で、ひじを伸ばす際に働く。二の腕のたるみはこの筋肉が衰えることで生じるので、しっかりと鍛えておきたい

広背筋
（こうはいきん）

背骨の両側に広く存在する筋肉。腕を背中側に引く際に使われる。三角筋とともに鍛えることが、逆三角形のシルエットを形づくるのに有効

ハムストリングス

太ももの裏側にある筋肉の総称。ひざを曲げたり太ももを後ろに蹴り出したりする際に働く。この筋肉を鍛えると、もも裏が引き締まる

大臀筋
（だいでんきん）

お尻にも大きな筋肉があることを意識できている人は少ない。太ももで後方に蹴り出す際に使用。たるんだお尻をヒップアップするには、この筋肉を鍛えることが重要

contents

シャープな筋肉をつくる究極メソッド	002

現代男性のカラダへの警鐘	004
1日10分でもカラダが変わる[クイック→スロー]	006
それだけじゃない[クイック→スロー]5つのメリット	008
筋肉を効率よくつけるためにまず今の自分を知ろう	010
理想のカラダに導く　ボディメイクチャート	012
よくわかる！　筋肉マップ	014

Chapter 1
眠っている筋肉を覚醒！　[スロー]トレーニング　019

加齢とともに太ってしまうのは、なぜ？	020
カラダデザインのポイントは「速筋」を鍛えることにあり	022
きちんと使わない筋肉は「眠っている」	024
目覚めた筋肉は体脂肪をさらに落とす	026
手軽に始められる[スロー]トレーニング	028
①成長ホルモンで、効果が上がる！	030
②週2回、短時間の運動で疲れ知らずのカラダになる	032
③力を入れ続けることによる血流制限が高い効果を生む	034

リズミカルニーアップ／		ナロースタンスプッシュアップ	044
ツイストリズミカルニーアップ	036	リアレイズ	046
ショルダープレス	038	クランチ／ニートゥチェスト	048
プッシュアップ	040	レッグレイズ	050
アームカール	042	ノーマルスクワット／ヒップスクワット	052

[スロー]のトレーニングメニュー参考例	054
column　カラダづくりを左右する「ピンク筋」	056

Chapter 2
筋肉をつけ体脂肪を落とす
[クイック→スロー]トレーニング　057

自宅で効率的に鍛えられる[クイック]トレーニングとは	058
全力でやるから最大の効果を生む[クイック]	060
究極の組み合わせ[クイック→スロー]トレーニング	062

[クイック→スロー]が筋肉を大きくするしくみ	064
[クイック]にはさらにこんな効果が	066
[クイック→スロー]ならリバウンドしないカラダになる	068
[クイック→スロー]を始める前に	070
カラダひとつでできる自重系[クイック→スロー]トレーニング	072

プッシュアップジャンプ／プッシュアップ …074
クイックアームカール／アームカール …076
ナロースタンスプッシュアップジャンプ／
ナロースタンスプッシュアップ …………078
クイックシットアップ／クランチ ………080
クイックニートゥチェスト／
レッグレイズ ……………………………082
クイックベントオーバーローイング／
リアレイズ ………………………………084
スクワットジャンプ／ノーマルスクワット …086

[クイック→スロー]のトレーニングメニュー参考例	088
強度調整しやすいフリーウエイト系[ヘビー→スロー]トレーニング	090
適正な負荷がわかる　チェックシート	092

ベンチプレス／マシンプレス …………094
ダンベルカール／マシンカール ………096
ナロースタンスベンチプレス／
ケーブルプレスダウン …………………098
レジストクランチ／マシンクランチ ……100
ラットプルダウン／ローイングマシン …102
スクワット／マシンレッグプレス ………104

「超回復」サイクルを知って理想のカラダをつくろう	106
筋肉痛の引き具合を知って、トレーニングに有効活用しよう	108
[ヘビー→スロー]のトレーニングメニュー参考例	110
column　正しい姿勢がよいスタイルを生む	112

Chapter 3
自由自在にカラダをつくる！
部位別ピンポイントトレーニング　　113

力強く、見た目にもシャープな筋肉がつくしくみ	114
よくわかる！　筋肉マップ2	116

クイックサイドレイズ／
サイドレイズ ……………………………119
クイックツイストクランチ／
ツイストクランチ ………………………121
リズミカルサイドニーアップ／
サイドベント ……………………………123
クイックフォワードランジ／
フォワードランジ ………………………125
ワイドスクワットジャンプ／
ワイドスクワット ………………………127
カーフレイズジャンプ／
カーフレイズ ……………………………129
バウンディング／タックジャンプ／ ……130
スタンドアップブッシュアップ
スワイショウ／ハンマーツイスト ………133

「部位別」のトレーニングメニュー参考例	134
column　筋肉痛ってなぜ起こる？	136

Chapter 4
知っておきたいトレーニングの秘密　137

トレーニングがうまくいかない原因とは	138
有酸素運動と組み合わせるとさらに効果的	140
トレーニングを始めると筋肉はこうして成長する	142
トレーニングを継続するには	144
病気を寄せつけない免疫ボディづくり	146
筋肉をつけて若返るカラダ	148
成長ホルモンが持つ驚異のパワー	150
column　筋肉が脂肪に変わるって本当？	152

Chapter 5
トレーニングをより効果的にするための食事の工夫　153

食べたものでできている我々のカラダ	154
知ってはいてもつい忘れがち！食事で守りたい3つのキーワード	156
知ってはいてもつい忘れがち！できれば気をつけたいプラス4	158
外食メニューのカロリー表	160
インスリンを利用した上手な食べ方	162
サプリメントの有効性	164
column　飲酒と肥満の関係	166

Appendix
生活に取り入れて効果アップ　日常トレーニング　167

大腰筋ウォーキング＆ステップアップ	168
ヒップアップ・ウォーキング＆ステップアップ	169
パームプレス＆フィンガープル	170
ニーリフト＆ヒップリフト	171
運動能力別　カラダ年齢チェックシート	172
サイズ記入グラフ	174

撮影協力：株式会社ワークアウトワールド・ジャパン
　　　　　ワウディー渋谷店（TEL 03-5774-0383）
モデル：岡本竜太／桂良太郎／松尾一哉

Chapter 1

眠っている筋肉を覚醒！

［スロー］トレーニング
SLOW TRAINING

Gain Weight...
Why?

加齢とともに太ってしまうのは、なぜ？

**活動量が減り筋肉が衰え、代謝機能が低下するから。
また「体形のあきらめ」も大きな要因**

　加齢とともに仕事などが忙しくなり、運動する機会は減っていくもの。動かなくなれば当然、筋肉も衰えて小さくなってしまう。こうして安静時にも行われるエネルギー消費、基礎代謝が下がる。また筋肉には、全身の血液を心臓に送り返すポンプ作用があるが、衰えることでその力が弱まって血流が滞りやすくなる。すると、動かさない筋肉の代謝がさらに低下し、疲れやすいカラダに。その結果、カラダをさらに動かさなくなる…、これが加齢とともに太りやすくなるおもな原因であり、年をとったら自然に太るわけではない。
　また血流の滞った状態は、冷え性やコリの原因にもなる。場合によっては血栓をつくって命を危険にさらすことも。健康や体調管理の面でも、カラダを動かすことは重要なのだ。
　同時に、活動量は減っているのに、食べる量はさほど変わっていない可能性にも目を向けるべきだろう。満腹感は、血糖値の上昇や食後の「胃の張り」によって

20代 週に一度はスポーツ

30代 カップ麺を食べながら残業

40代 体脂肪ジャケット装着

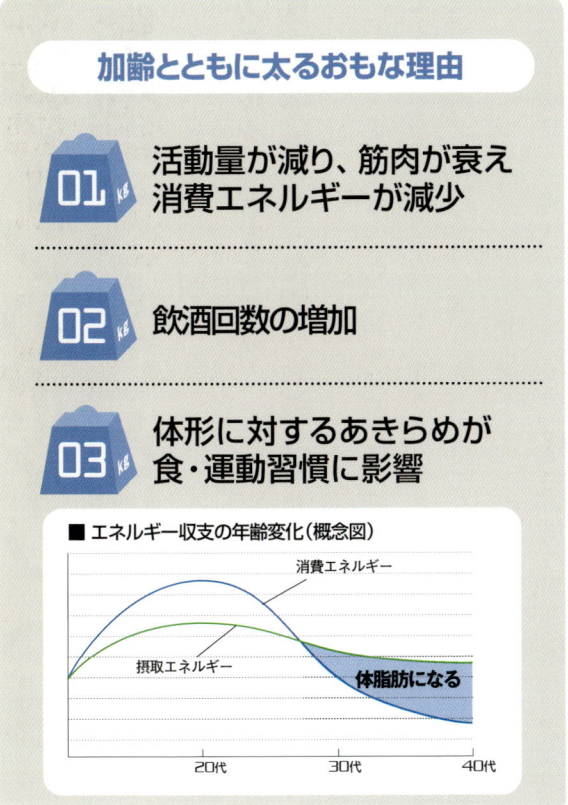

加齢とともに太るおもな理由

01 活動量が減り、筋肉が衰え消費エネルギーが減少

02 飲酒回数の増加

03 体形に対するあきらめが食・運動習慣に影響

■ エネルギー収支の年齢変化（概念図）
消費エネルギー／摂取エネルギー／体脂肪になる
20代　30代　40代

もたらされるが、胃のサイズが若いころと変わっていないと、消費できるエネルギー以上に食べてしまうことに。ガソリンタンクの大きさは変わっていないが走りもせず、給油をし続けるようなもの。油があふれている現実に目を向けてほしい。

それともうひとつ、「体形に対するあきらめ」はないだろうか？　見た目へのこだわりが薄れると「運動は面倒くさい」「食べたいだけ食べる」などの考え方に陥りがちだ。こうした意識の改善が、カラダデザインの第一歩になる。

Never Give Up!

カラダデザインのポイントは「速筋」を鍛えることにあり

スタイルを改善するとは筋肉を大きくし、体脂肪を減らすということ

速筋と遅筋の特徴

速筋	遅筋
●瞬発的な大きな力を出せる	●大きな力を出すのには向いていない
●筋肉の収縮速度が速い	●筋肉の収縮速度が遅い
●疲労しやすい	●持久力に優れ疲労しにくい
●筋肥大しやすい	●筋肥大しにくい

スタイルをよくするとは、簡単にいうと「筋肉をつけて体脂肪を減らすこと」。これがカラダデザインの根本的な考え方である。たとえば、肩や背中の筋肉を大きくし、お腹まわりの体脂肪を小さくすれば、逆三角形のシルエットが完成する。ここで重要となるのが「速筋を鍛える」こと。

筋肉は瞬発力に優れる「速筋」と、持久力に優れる「遅筋」の2つに大別される。速筋は、筋トレやダッシュなどのいわゆる無酸素運動で鍛えられ、大きくできる。しかし、ジョギングなどの有酸素運動で鍛えられる遅筋は、脂肪は減少できるが、いくら鍛えても筋肉そのものはあまり大きくならない。

これは、短距離走と長距離走の選手の体形を比較するとわかりやすい。どちらも体脂肪率は低いが、速筋の発達している短距離走の選手は大きな筋肉のついた逆三角形になり、遅筋の発達している長距離走の選手はかな

速筋はなかなか使われない

力の入れ始めでは、まず遅筋が運動に使われる。運動の強度が上がって、遅筋だけではまかないきれなくなってから速筋が使われ始める。運動に使われるのに必要な筋肉の割合となる運動単位動員率が50％を超えるくらいにならない限り速筋は使われないため、日常生活ではなかなか出番がないのである。したがって、意識的にトレーニングし鍛えていくことが大切だ。逆にいえば、ふだんあまり使われないからこそ、上手にトレーニングすれば大きな成果が得られるのだ。

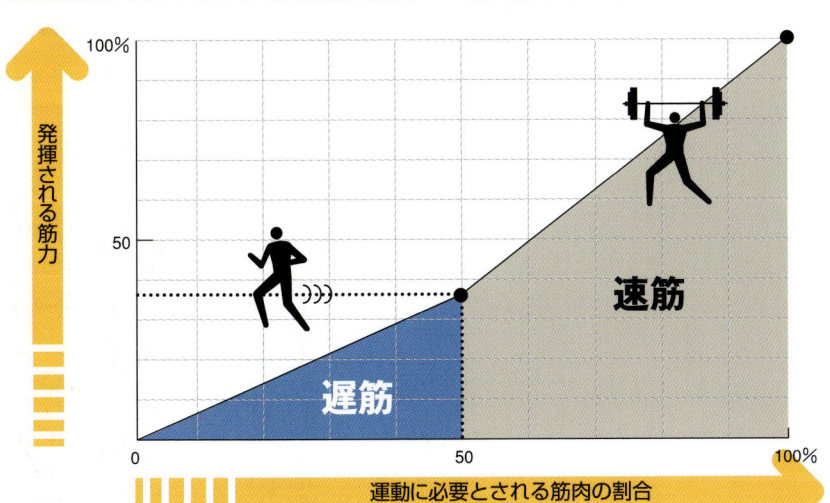

筋肉が小さくなれば太りやすくなり、細い印象になる。

筋肉を大きくすれば、安静時にもエネルギーを大量消費し、体脂肪を蓄えにくくなる。このことからも、スタイルを大幅に改善するには速筋のトレーニングが不可欠、ということがわかるはずだ。

ただし、速筋は上図の通り、日常生活では使われにくい性質の筋肉。これを鍛えるには相応のテクニックが必要となる。

そこで本書では、これまで体脂肪を落としスタイルを改善するうえで見逃されがちだった速筋を、自宅でも手軽に鍛えられる方法を紹介していく。これを実践すれば、一時的な体重や脂肪の減少でなく、カッコいいと思われるようなカラダに変化させ、それを効率よく維持していけるようになるのだ。

きちんと使わない筋肉は「眠っている」

運動をあまりしない人は、筋肉はあっても使えない状態になっている

トレーニングで得られるメリットは、筋肉を大きくし体脂肪を減らすだけではない。ふだんの生活では使われずに「眠っている」筋肉を目覚めさせるのも、そのひとつである。

筋肉は運動神経からの指令で力を出すが、たとえ本人が最大筋力を発揮させようと思っても100％の力を出すことはない。全力を発揮しようとしても、じつは60％〜70％程度しか使えていないケースが多い。これを心理的限界といい、あまり運動しない人となると、その割合がさらに下がってしまう。つまり、筋肉はあっても力は弱い状態といえる。

生命にかかわる事態に遭うと力の弱い女性でも、ひとりで外にタンスを持ち出せてしまう、いわゆる「火事場のバカ力」の言葉通り、筋肉は本人ですら自覚できないほどのパワーを秘めている。この力は、何も生命の危機だけで発揮されるわけではない。鍛えれば心理的限界は引き上げられる

Column よく耳にする「基礎代謝」って何？

生きていくのに使われるエネルギー量を基礎代謝と呼び、その大半は体温維持に使われる。この基礎代謝が全エネルギー消費量に占める割合は非常に高く、特に激しく運動していないときだと70％程度にもなる。筋肉を鍛えて大きくすることで、この基礎代謝がアップするのだ。

筋肉量が多いことは体脂肪を効果的に落とすうえで、非常に有利といえる。

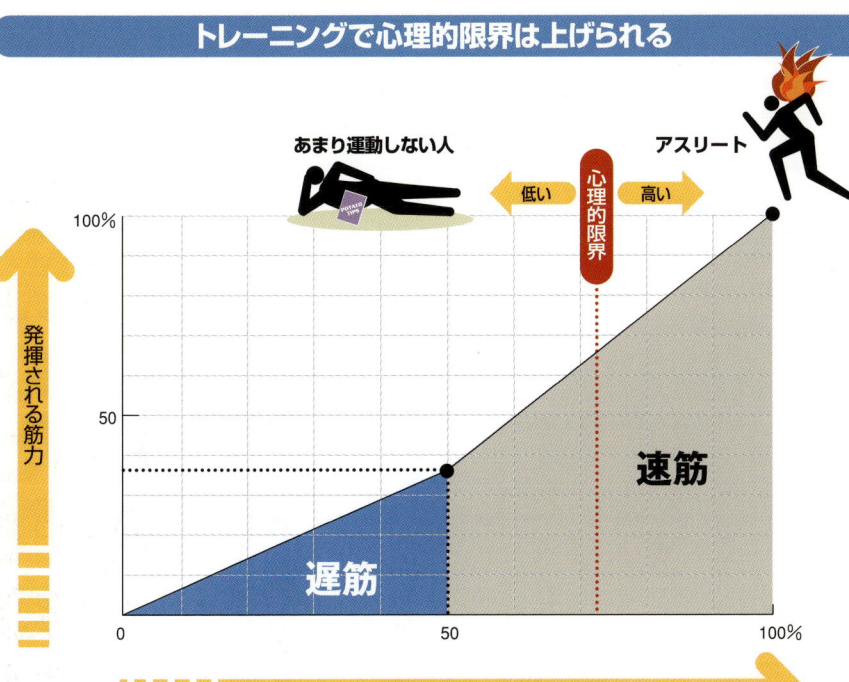

　のである。

　トレーニングをするとカラダに負荷がかかり、ふだん使っている筋肉だけではまかなえなくなる。

　そこで神経が、その足りないぶんを補うべく判断して眠っている筋肉も動員させる、とイメージするといいだろう。こうして、60％程度しか使われていなかった眠っていた筋肉を80％〜90％以上にまで引き上げられるのだ。ふだんあまり運動していない人ほど、少し鍛えれば力は強くなるといえる。

　また、「眠っている」筋肉を起こし、よく使うことで血液を心臓に送り返すポンプ作用も強まり、血液の循環がよくなって代謝も上がるのだ。

目覚めた筋肉は体脂肪をさらに落とす

速筋をつけると、何もしていない安静時にもエネルギーがどんどん消費される

> **Column 脂肪燃焼タンパク質「UCP-3」**
>
> 筋肉による熱生産は、遅筋が脂質を代謝することで担っていると考えられてきた。ところが、この考え方が一変しつつある。それは、「UCP-3（脱共役タンパク質-3）」という脂質や糖質の持つエネルギーをすべて熱に変えてしまう、いわば「脂肪燃焼タンパク質」の発見。
>
> この「UCP-3」をつくる遺伝子が、速筋内で大量に発現することが確認されたのだ。筋肉による熱生産は、おもに「速筋が担う」が新しい常識になりつつある。

ふだんあまり運動しない人は、筋肉はあっても使われずに「眠っている」ことが多い。生きていくために消費するエネルギー、基礎代謝は筋肉が多いほど高くなるが、「眠っている」筋肉では、この基礎代謝が低くなっていることがある。この状態では、血液の循環を促進する筋肉のポンプ作用があまり働かず、血管も発達していないので血液循環が悪い。すると栄養や酸素の供給が滞り、体温も下がるので代謝量も下がってしまう。まずは筋肉を目覚めさせることから始めよう。そのためには、カラダへの負担が少なく、効率よく速筋を鍛えられる「スロー」が有効。血液循環が良好になり、血管を発達させる効果もあるので、基礎代謝が上がり体調もよくなる。

これにより、日常生活での活動量にも変化が現れるだろう。多くが無意識のうちに速くなり、階段も駆け上がれるようになる。振る舞いがキビキビすることで、エネルギー消費量がさらに増える好循環が生まれる。

遅筋を使う有酸素運動ではダメなのか？

おもに遅筋を使う有酸素運動では、運動中に直接脂肪を燃やせる。しかしその量はあまり多くなく、45分間のウォーキングで消費できるのはおにぎり1個分の200kcal程度。また筋肉をあまり大きくできないので、基礎代謝を大幅に上げるのは難しい。つまり、安静時の脂肪燃焼量はあまり増やせない。

ただし、有酸素運動には呼吸や循環器の能力を高め、血中脂質やコレステロール値を下げるなど、カラダによい面もたくさんある。どちらが優れているかは一概に判断できないが、カラダをデザインするという点では、速筋を鍛えて筋肉を大きくできる無酸素運動が適しているといえるだろう。

安静時と有酸素運動の45分当たりの消費エネルギー

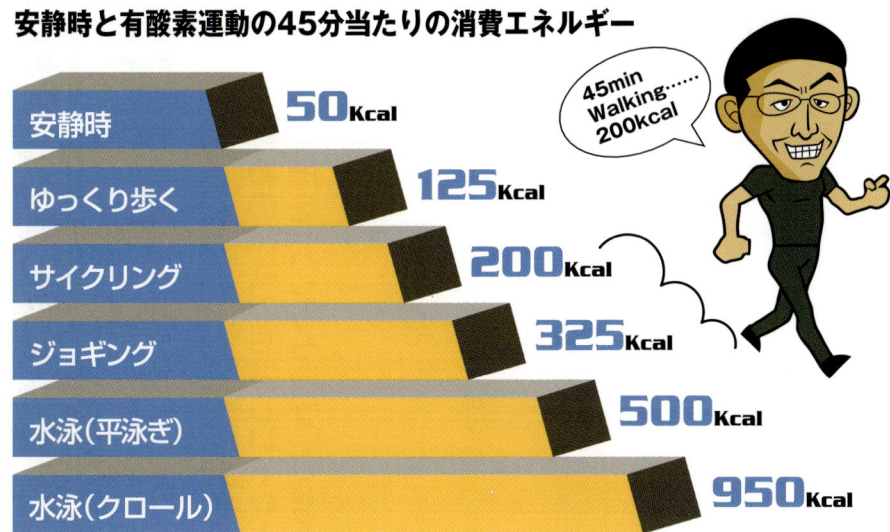

- 安静時 50Kcal
- ゆっくり歩く 125Kcal
- サイクリング 200Kcal
- ジョギング 325Kcal
- 水泳（平泳ぎ）500Kcal
- 水泳（クロール）950Kcal

45min Walking……200kcal

これはトレーニングの初期から体感できる。体つきや体脂肪率はあまり変わらなくても、体調がよくなったような気がしたら、これまで眠っていた筋肉が起きて活動し始めた、と思っていいだろう。そして、筋肉は目覚めるステップを通過すると、肥大していく。

もうひとつ、筋肉に熱を出させるタンパク質「UCP-3」の存在も見逃せない。速筋を動かすことで「UCP-3」をつくる遺伝子の発現が高まるといわれ、これが基礎代謝をアップさせてエネルギーを大量消費する。ひとたび筋肉を目覚めさせれば、脂肪は嫌でもめらめら燃え始める。速筋をつけるほど、カラダは痩せやすく生まれ変われる。これが、筋肉の大きい人が太りにくい理由なのだ。

手軽に始められる[スロー]トレーニング

軽めの運動でも激しいトレーニングに近い効果がある。
筋肉を「パンプアップ」させることがポイント

「化学的ストレス」と「物理的ストレス」

筋肥大を起こすストレスは二つに大別される。左下の「パンプアップ」のように、筋肉内の化学的環境を大きく変化させる「化学的ストレス」と、運動翌日の筋肉痛のように強い負荷で筋肉に微細な損傷が生じ、炎症が進む「物理的ストレス」だ。

筋肉を強く大きくするには、筋肉に肥大の必要性を感じさせる「刺激」が必要となる。その刺激とは、「物理的ストレス」と「化学的ストレス」の2つに大別される（上図参照）。[スロー]トレーニングは、そのうちの化学的ストレスを筋肉に効率的に与えられるのだ。

[スロー]のポイントは、ゆっくりと動作し筋肉を緊張させ続けることで、全身に酸素を運ぶ血流を制限すること。これによって筋肉への酸素の供給が不足し、無酸素で動く「速筋」が運動に使われ、激しい運動をしたときと同様に筋肉に代謝物である乳酸をためることができる。こうして筋肉は、たまった乳酸の濃度を下げるために、周囲の水分を吸収してパンパンに張ってくるという状態になる。これは日常生活では起こらない化学的に苛酷な状態なので、筋肉を肥大させる有効な化学的ストレスとなる。この現象は通常、激しいトレーニングで起こるが、これを

Slow Training

[スロー]トレーニングのメカニズム

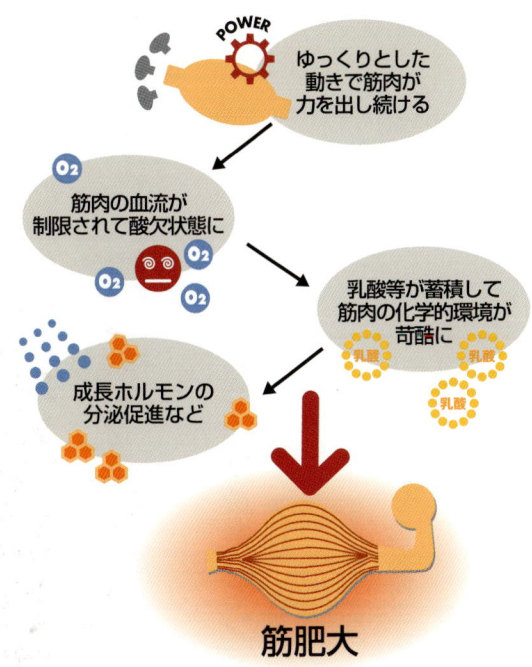

パンプアップのしくみ

トレーニングを行うとその部分が熱くなり、パンパンに張ったような感じになる。これがパンプアップという現象。乳酸などがたまり、浸透圧（溶け込んでいるものの濃度による膜透過の圧力）によって筋肉が多量の水分を含むことで起こる。

このパンプアップの度合いを、トレーニングの充実度として感じる人も少なくないようだ。その感覚は、人によっては幸福感や快楽を味わえる場合もあるという。

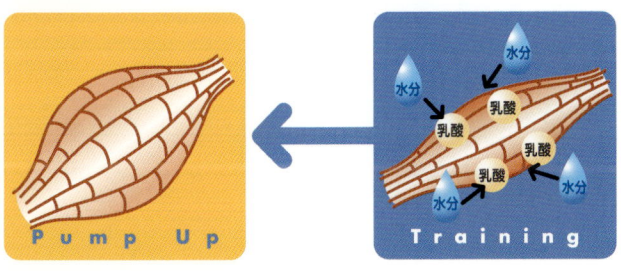

比較的軽い負荷で手軽に達成できるのが[スロー]最大のメリットだ。軽い負荷だから、バーベルなどをそろえたりジムに通ったりする必要もなく、自宅でも簡単にできる。当然、重い負荷を扱う筋トレよりずっと安全で、筋肉や腱を痛める危険性も圧倒的に低いのだ。カラダをあまり動かしていなかったことに心当たりのある人は、まず[スロー]から始めよう。

① 成長ホルモンで、効果が上がる！

乳酸が「成長ホルモン」の分泌を促し、筋肉を肥大させ、さらに体脂肪を分解する

乳酸って、カラダに悪くないの？

乳酸は筋肉を動かすことで生じ、疲労を感じさせる物質とされる。血中乳酸濃度が上がると運動を継続できなくなるので、ハードな運動を続けるには乳酸は出ないほうがいい。しかし、それが筋肉を強くするので、乳酸はたっぷり出たほうがいいのだ。

肩コリなどの場合は、長時間の肩の筋肉の緊張で血液循環が慢性的に悪化し、発生した乳酸の代謝の不良で生じたもの。乳酸は心臓や遅筋のエネルギー源として使われるので、［スロー］で発生したものはトレーニングの20～30分後にはエネルギー源として使われてなくなる。たっぷり出ても体調をくずすことはない。

［スロー］トレーニングを行うと多量の乳酸が発生し、軽い負荷でも激しい運動をしたときと同様に筋肉内を過酷な状態にできる。つまり、あたかも激しい運動をしたかのように、筋肉をだまして肥大させるのだ。この発生した乳酸は「成長ホルモン」の分泌を促す作用がある。成長ホルモンはその名の通り、筋肉を大きく「成長」させるだけでなく、体脂肪を分解し脂肪減少を促進してくれるありがたい効果もある。さらに新陳代謝を活発にする作用もあり、若返りの効果があることも見逃せないだろう。世にいわれる、痩せ薬や若返るホルモンに高い金を払わなくても、［スロー］トレーニングなら確実に若返るホルモンを、自分のカラダが出してくれる。

このトレーニングでは、安静時の百倍以上の成長ホルモンを分泌させられることが実証されている。成長ホルモンを分泌させるための、手軽で有効な手段のひとつがこの［スロー］なのだ。

乳酸が成長ホルモンの大量分泌を促す

レッグエクステンションというマシンを使い、ひざを伸ばすエクササイズで実験。[スロー]トレーニングでは65kg、通常の方法では130kgの負荷を用い、それぞれ8回×3セット行った。半分の負荷にもかかわらず、ほぼ同量の乳酸が発生し、成長ホルモンも同様に分泌されることが確認された。

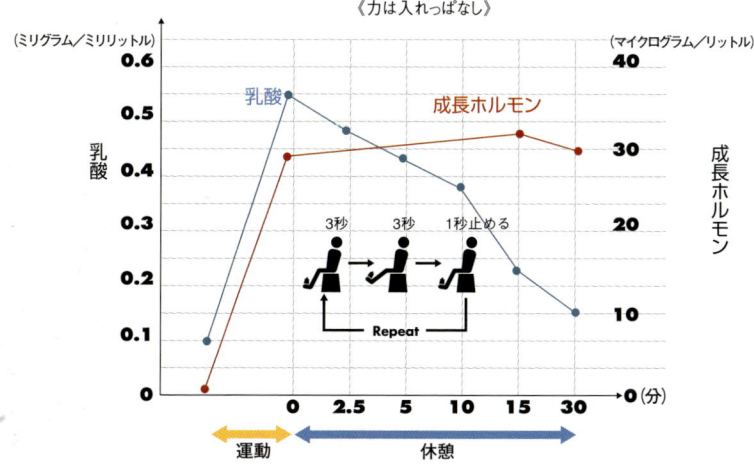

[スロー]なら軽い負荷でも効果的

[スロー]（65kg×8回×3セット）で行った場合
3秒で上げ、3秒で下げ、1秒止める　のくり返し
《力は入れっぱなし》

通常（130kg×8回×3セット）の方法で行った場合
1秒で上げ、1秒で下げ、1秒休む　のくり返し
《毎回脱力して休む》

実験種目：レッグエクステンション　22歳男性被験者の場合（谷本ら2004より改変）

EASY WORKOUT

②週2回、短時間の運動で疲れ知らずのカラダになる

超回復のサイクルに合わせればトレーニング効果が効率よく得られる

［スロー］トレーニングは、毎日行う必要がない。基本的には超回復（P106参照）のサイクルに合わせて行う、1日または2日おきで十分効果的なトレーニングだ。［スロー］で筋肉にストレスを与えると、カラダはそれに打ち勝とうとし、その結果トレーニング前より強くなる。このトレーニング前の体力レベルを超えたタイミングで、再び運動するのがポイント。筋肉を成長させるには休息時間が必要、と考えよう。また1回に必要な時間も10分程度、いくつかの種目を組み合わせても長くて30分程度ですむのも、［スロー］のメリットといえるだろう。

「トレーニングは毎日したい」という志の高い人なら、1日に行う種目数を減らし1種目にかけるセット数を増やすといいだろう。その翌日は違う筋肉を使う種目を行うようにすれば超回復を、毎日トレーニングしながら部位別に日替わりで起こせる。

Slow Training

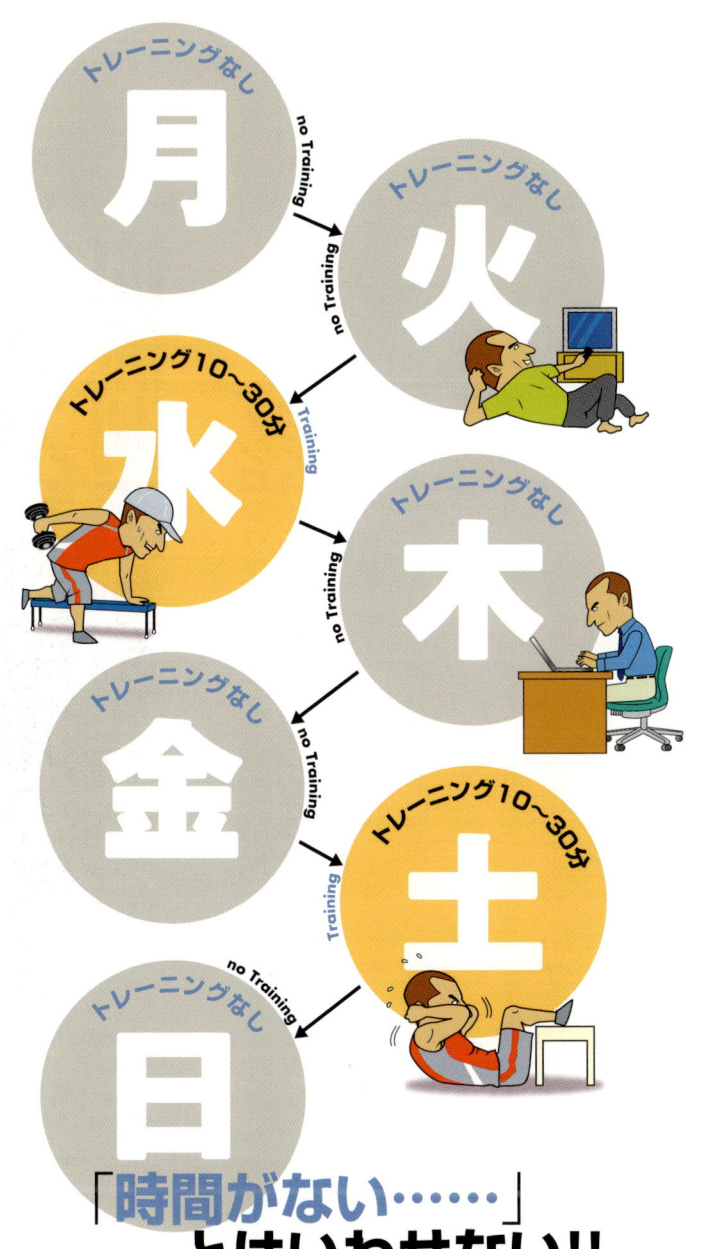

[スロー]で最初に実感できるのは、カラダが軽くなる感覚。日常生活のさまざまな動作が楽になり、そして疲れにくくもなるはずだ。日常の動きも機敏になり、エネルギー消費量が増え、痩せやすいカラダへと生まれ変わっていくのだ。

「時間がない……」とはいわせない!!

③ 力を入れ続けることによる血流制限が高い効果を生む

「ノンロックスロー法」で血流制限。ゆっくりだけでなく、力が抜けないようにする

「ノンロックスロー法」とは

ノンロックスロー法とは、関節を固定することなく（ノンロック）、ゆっくり（スロー）運動する方法。たとえばスクワットなら、立ち上がりきらず、しゃがみきらずにゆっくり上下動する。こうすることで、動作中に筋肉が休みなく力を発揮し、血流が制限できるので、軽い負荷でも高負荷トレーニングと同様の効果が期待できるのだ。

[スロー]トレーニングのポイントは、大量に乳酸を発生させられるので軽い運動なのに激しい運動をしたと筋肉に思いこませられること。このポイントは血流制限にある。これを可能にするのが、「ノンロックスロー法」だ。動きを止めずにゆっくり動作し、筋肉に力を入れ続けることで血管を圧迫する。すると血流が制限されて酸素の供給が間に合わなくなり、乳酸が大量発生する。筋肉内の化学的環境は極めて苛酷になり、激しい運動をしたかのように筋肉をだませるのだ。さらに成長ホルモンの効果は筋肥大だけでなく、体脂肪分解や新陳代謝の促進にすばらしい作用を及ぼす。

ここで大切なのは、[スロー]の動作中に一切力を抜かないこと。力が入っている間は筋肉が血管を圧迫し続けて血流を制限できるものの、力が抜けてしまうと血流制限ができなくなる。力が抜けるのを防ぐのが目的で、ゆっくり動作するのはそのための手段なのだ。速く動くと、どうしても力

Slow Training

通常のスクワット

通常のスクワットではAとBをくり返しながらポンプのように血液を送り出す。だから血液の流れもスムーズ。この場合、軽い負荷では遅筋が動員されることになる。

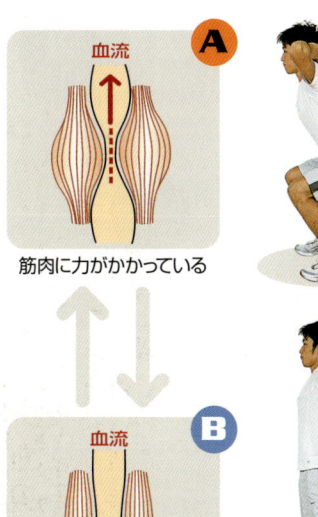

血流

A 筋肉に力がかかっている

B 筋肉に力がかかっていない

[スロー]のスクワット

[スロー]トレーニングは、関節を曲げきったり伸ばしきったりしないので、筋肉はAのような収縮状態を維持する。血管は圧迫され続け、血流制限を受けて酸素不足になり、速筋が動員される。

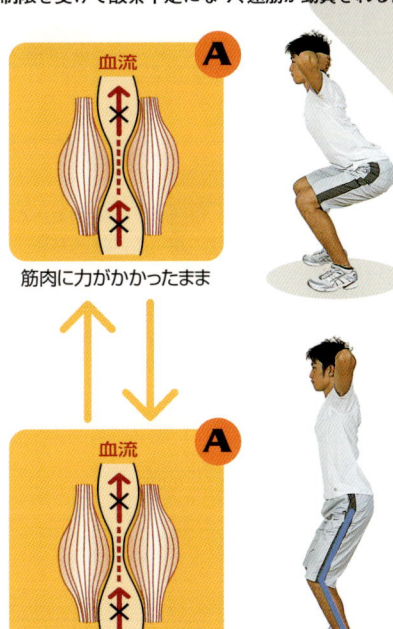

血流

A 筋肉に力がかかったまま

A 筋肉に力がかかったまま

が入りすぎたり抜けたりしてしまうので要注意。途中で一切休まず、力を入れ続けることを意識しよう。うまくできれば、筋肉はすぐパンパンにパンプアップしてくるはずだ。力を抜かないようにするためには呼吸もポイントになる。息を吐くと同時に動き始めると勢いがつきやすくなるので、吐き始めで1テンポおいてスタートするといい。その後は、上下運動なら吐きながら3秒かけて上げ、次に息を吸いながら3秒かけて下ろす動作を行う。ちなみに腹筋は呼吸筋でもあるので、上体を持ち上げるときに息を強く吐くことを意識すると、より効果的な運動ができる。

Warm up-1
SLOW-0

FINISH
太ももが床と平行になるくらいまで、しっかりひざを上げる。1回足踏みするのに1秒程度のペースにしよう

背中を丸めると動作しにくくなる

START
背すじを伸ばしリズミカルにひざを上げる、その場での足踏み。床をつま先で蹴り上げず、下腹部で引き上げる

つま先で床を蹴り上げると下腹部が使えない

リズミカルニーアップ
その場足踏みを **30回**
Warm Up 1

重要なウォームアップとトレーニング後のストレッチ

　まずはウォームアップで筋肉を温めてからトレーニングに入ろう。ケガをしにくくなり、カラダをより機能的に動かしやすくなるメリットがある。ひざを上げ腕もしっかり振るこのウォームアップは、効率よく全身を温めることができる。

　そしてトレーニング後は、必ずストレッチを行おう。ストレッチには、トレーニングによって強く縮まった筋肉を伸ばし、トレーニング後の痛みを緩和する働きがある。また発生した乳酸のスムーズな代謝をサポートしてくれる。

Warm up-2
SLOW-0

ツイストリズミカルニーアップ

体幹のひねりを加えて

20 回

Warm Up 2

1

START
体のひねりを加えるリズミカルニーアップ。右ひじと左ひざを引き寄せるようにする。わき腹の筋肉を刺激できる

2

FINISH
同様に、次は左ひじと右ひざを引き寄せる。1回足踏みするのに1秒程度のペースで地面を蹴り上げずに行う

⋘

つま先で蹴り上げる反動を使わないように

Chapter 1 …… 眠っている筋肉を覚醒! [スロー] トレーニング

[Quick→Slow] Training

SLOW-1

ショルダープレス

肩で上体を持ち上げる

5～10回
Slow Training

注）3秒で上げ、3秒で下げる。限界の回数まで行う

1

顔を上げると肩が使いにくくなる

START
四つんばいの姿勢で腰を高く浮かせる。手幅は肩幅の1.5倍程度。ひじを深く曲げたところからスタート

FINISH
四つんばいの姿勢から、腕を前ではなく上、頭の方向へと押していく。お尻をななめ上へと突き上げるように

2 SLOW

肩に効く

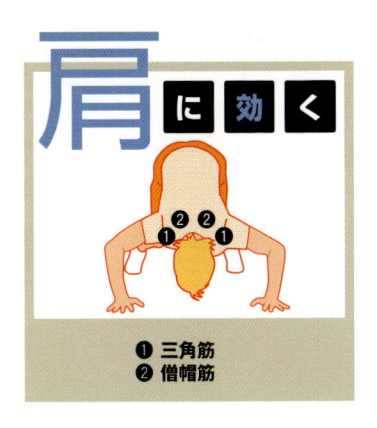

① 三角筋
② 僧帽筋

肩の力で床を押すようにして、お尻をななめ後ろへ押し上げる

　肩の力で床を押す動作で、上体を持ち上げる。腕立て伏せのようにカラダを上下させてしまうと、使われる筋肉が異なり、肩には効かせられなくなるので注意。お尻をななめ後方へ押し上げるようにしよう。四つんばいの姿勢になったら腕は前ではなく、上へと押すようにするとうまくいく。

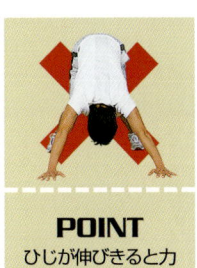

POINT
ひじが伸びきると力が抜けてしまう

正面から見た動きと注意点

SLOW SLOW

VARIATION

手の幅を狭くする

手幅を狭くすると動作を大きくできる。効果のある筋肉も替わってきて、上腕三頭筋（腕の裏側）にも効くようになる

SLOW　SLOW

STRETCH <<< After

伸ばした腕を胸の前に用意し、逆の手でひじを胸のほうに反動をつけて押しつけるようにする。逆側も同様に行い、左右5回程度くり返す

Chapter 1 ……眠っている筋肉を覚醒！ [スロー]トレーニング

[Quick→Slow] Training

SLOW-2

プッシュアップ

ひじを伸ばしきらずに

5〜10回
Slow Training

注）3秒で上げ、3秒で下げる

1

お尻の上下運動になってしまうのはNG

START
手幅は肩幅の1.5倍強程度とし、胸が床につく直前の姿勢からスタート。肩からひざまでは一直線に保つように

2

FINISH
ひじを完全に伸びきらせないようにすることが、極めて重要。力が抜けてしまう箇所をつくらないようにする

SLOW

胸に効く

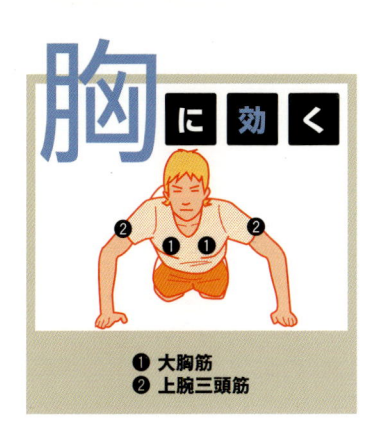

① 大胸筋
② 上腕三頭筋

ひじが伸びきらないところで動作をとどめるのがポイント

いわゆる腕立て伏せだが「ノンロックスロー法（P34参照）」で、血流制限をしたまま運動するのが高いトレーニング効果を生む。胸が床につく直前まで腕を曲げるが、伸ばすときにはひじが伸びきらないように動作をとどめるのがポイント。力が抜ける箇所をつくらないことも大切だ。

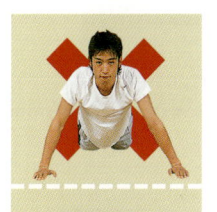

POINT
腕が伸びきってしまうと血流の制限ができない

正面から見た動きと注意点

SLOW

VARIATION

負荷を軽くするには
台を使うと、負荷を軽くできる。プッシュアップがきつい人はここから始めよう

さらに負荷をかけたい人は
脚を伸ばして行うと、負荷を大きくできる。ひざをつけていると負荷が軽すぎる場合はこの方法で

STRETCH ≪ After

ひじを曲げて胸の高さまで上げ、力を抜いて反動をつけながらリズミカルに5回程度後方に引っ張る。背すじは丸めないように注意しよう

Chapter 1 ……… 眠っている筋肉を覚醒！［スロー］トレーニング

[Quick→Slow] Training

SLOW-3

アームカール

力こぶを効果的に刺激

5〜10回
Slow Training

注）3秒で上げ、3秒で下げる

2

SLOW

❌ 腕を完全に曲げてしまうと力が抜けてしまう

1

START
手のひらは上向きにし、ひじをカラダの前に出してダンベルを軽く持ち上げた腰の高さからスタート

FINISH
ダンベルを水平より45度程度持ち上げたところでフィニッシュ。肩の高さを目安とするといい

❌ ひじを下げてしまうと力が抜けるのでNG

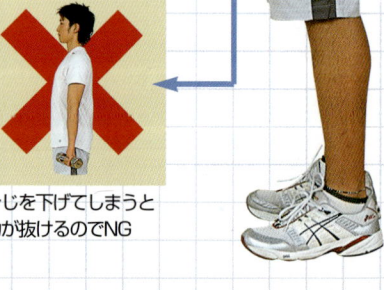

注）規定回数ができる程度のダンベルを使用。2〜3kgから始めたい

腕に効く

❶ 上腕二頭筋

たくましさを演出する力こぶを集中的に刺激できる

ポイントは、ひじをカラダの前に出した位置で固定して行うこと。そして上げるときはひじを曲げきらないよう、ダンベルを肩の高さあたりでとどめるようにする。これで動作中、力が抜けてしまうことはない。ストレッチのような反動を使わずに注意しながらゆっくり行おう。

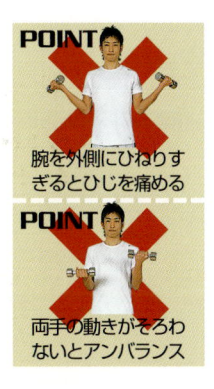

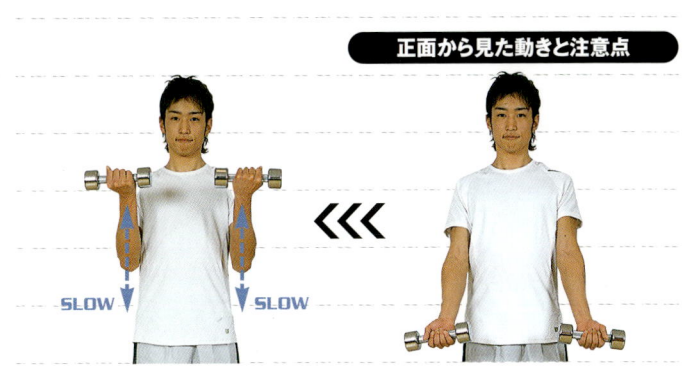

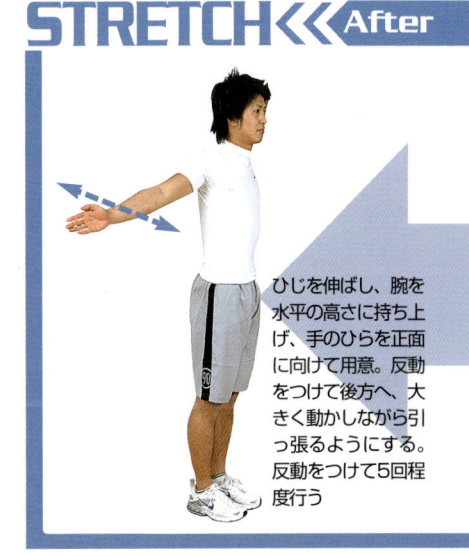

POINT 腕を外側にひねりすぎるとひじを痛める

POINT 両手の動きがそろわないとアンバランス

正面から見た動きと注意点

SLOW　SLOW

VARIATION

ダンベルを立てる

ダンベルを立てて親指側を上にして持ち上げると、上腕二頭筋の奥にある深部の筋肉をより刺激できる。ちょっとしたフォームの違いで鍛えられる部位が異なってくる

STRETCH <<< After

ひじを伸ばし、腕を水平の高さに持ち上げ、手のひらを正面に向けて用意。反動をつけて後方へ、大きく動かしながら引っ張るようにする。反動をつけて5回程度行う

Chapter 1 ……… 眠っている筋肉を覚醒！[スロー]トレーニング

43　[Quick→Slow] Training

SLOW-4

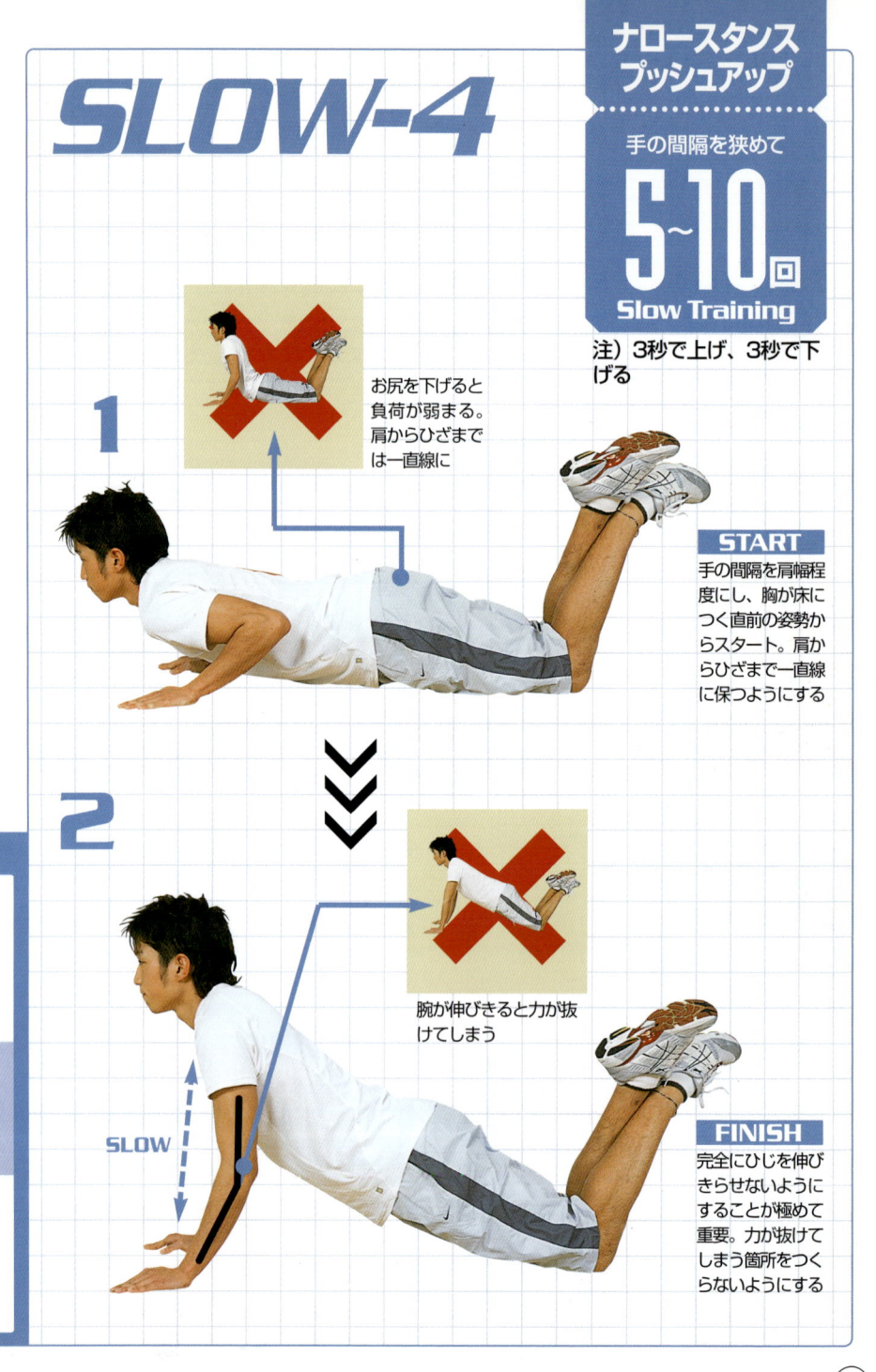

ナロースタンス プッシュアップ

手の間隔を狭めて

5~10回

Slow Training

注）3秒で上げ、3秒で下げる

1

お尻を下げると負荷が弱まる。肩からひざまでは一直線に

START
手の間隔を肩幅程度にし、胸が床につく直前の姿勢からスタート。肩からひざまで一直線に保つようにする

2

腕が伸びきると力が抜けてしまう

SLOW

FINISH
完全にひじを伸びきらせないようにすることが極めて重要。力が抜けてしまう箇所をつくらないようにする

腕に効く

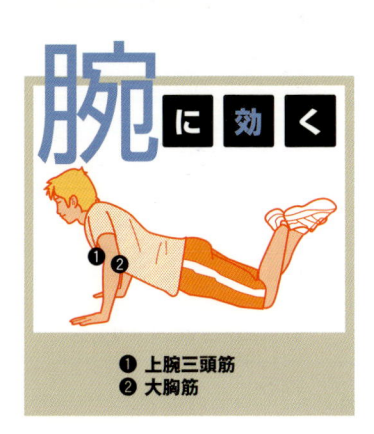

① 上腕三頭筋
② 大胸筋

ひじが伸びきらないところで動作をとどめるのがポイント

手の間隔を狭めることで二の腕の裏側に、より集中的に刺激を与えられるようになる。手の間隔を肩幅程度にし、わきをしっかり締めて行う。先に紹介したプッシュアップ同様、ひじを伸ばしきらないようにし、力が抜けてしまう箇所をつくらないようにするのがポイントだ。

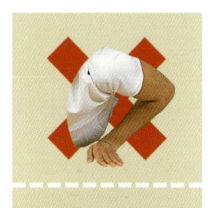

POINT
腕を曲げたときにひじが外側に出てしまうと、手首を痛めやすくなる

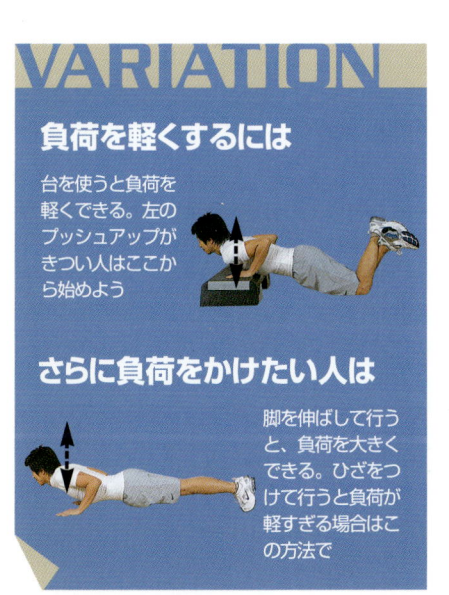

正面から見た動きと注意点

SLOW　SLOW

VARIATION

負荷を軽くするには
台を使うと負荷を軽くできる。左のプッシュアップがきつい人はここから始めよう

さらに負荷をかけたい人は
脚を伸ばして行うと、負荷を大きくできる。ひざをつけて行うと負荷が軽すぎる場合はこの方法で

STRETCH <<< After

頭の後ろに両手を置き、そこで右手で左手のひじを下方に引く。反動をつけて左右5回程度行う

Chapter 1 ……眠っている筋肉を覚醒！[スロー]トレーニング

[Quick→Slow] Training

SLOW-5

リアレイズ

手軽にできる背面の運動

5〜10回
Slow Training

注）3秒で上げ、3秒で下げる

START
ひざを軽く曲げ、カラダを前傾させる。ダンベルはななめ後方30度くらいに持ち上げておく

ダンベルを完全に下ろしてしまうと、力が抜けてしまう

1

2

SLOW

背中が丸まると、腰を痛めやすいので要注意

FINISH
真後ろというよりも、ややななめ後ろに向かってダンベルを持ち上げるようにする。できるだけ上げよう

注）規定回数ができる程度のダンベルを使用。2〜3kgから始めたい

背に効く

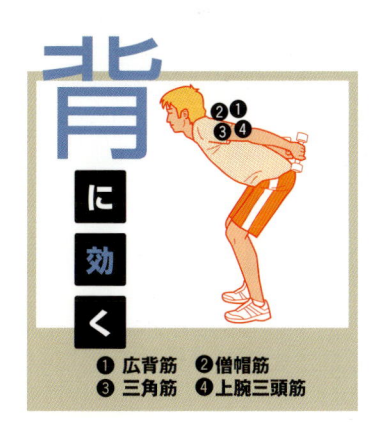

① 広背筋　② 僧帽筋
③ 三角筋　④ 上腕三頭筋

刺激しにくい背面を手軽に鍛えることが可能

カラダの背面は負荷をかけにくく鍛えにくいが、このリアレイズなら手軽に効果的な背面のトレーニングができる。動作はダンベルを背中の筋肉で引き上げるようにする。慣れないうちは使っている筋肉を意識しにくいが、ややななめ後方にひじを引き上げるようにすると意識しやすくなる。

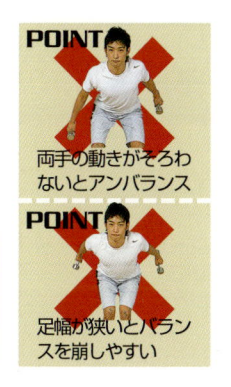

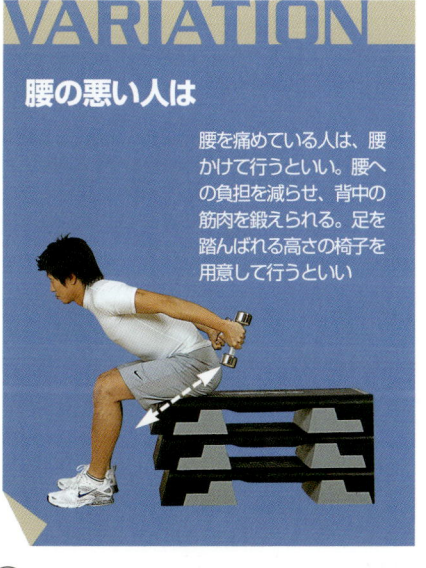

POINT ✗ 両手の動きがそろわないとアンバランス

POINT ✗ 足幅が狭いとバランスを崩しやすい

正面から見た動きと注意点

SLOW　SLOW

VARIATION

腰の悪い人は

腰を痛めている人は、腰かけて行うといい。腰への負担を減らせ、背中の筋肉を鍛えられる。足を踏んばれる高さの椅子を用意して行うといい

STRETCH ≪≪ After

指を絡ませて手を組みひざをやや曲げ、手のひらを床に向けて前屈。カラダを倒すというより反動をつけながら、手を下へ押し出すようにする。大きく動かしながら5回程度行う

Chapter 1 ……眠っている筋肉を覚醒！[スロー]トレーニング

SLOW-6

クランチ

お腹まわりを引き締める

5～10回
Slow Training

注）3秒で上げ、3秒で下げる

START
あお向けになり、両ひざを軽く曲げる。両手は後頭部で組み、肩を少し持ち上げた姿勢からスタート

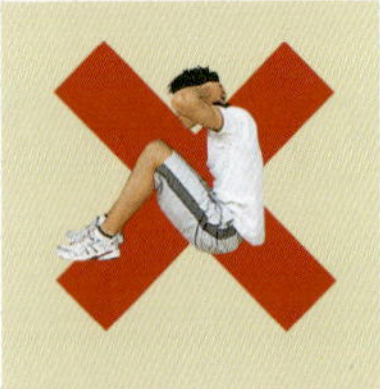

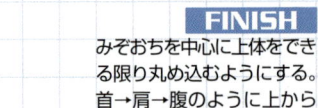

頭を床に下ろしてしまうと力が抜けてしまう

FINISH
みぞおちを中心に上体をできる限り丸め込むようにする。首→肩→腹のように上から徐々に丸め込むイメージ

股関節を中心とした起き上がり動作ではない

腹に効く

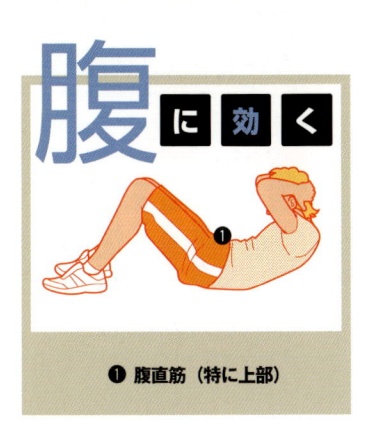

① 腹直筋（特に上部）

みぞおちを中心に丸め込む。頭をつけて休まないように

みぞおちを中心に、上体を丸め込むように動作するのがポイント。動きは小さいが腹筋、特にその上部をかなりハードに鍛えられる。

ちなみに、股関節を中心に上体を起こす方法では腹筋に負荷をかけ続けられない。このやり方は別の部位も使うので、腹筋だけをハードに追い込むのは難しいのだ。

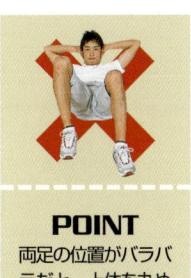

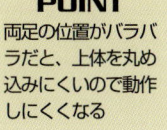

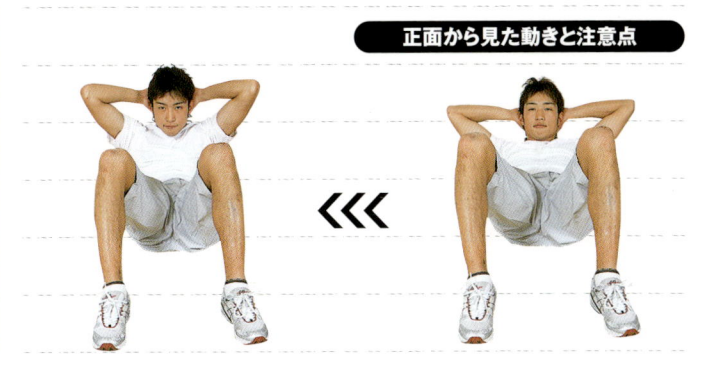

POINT
両足の位置がバラバラだと、上体を丸め込みにくいので動作しにくくなる

正面から見た動きと注意点

VARIATION
ニートゥチェスト
ひざを胸にゆっくり引き寄せ、ゆっくり戻す動作をくり返す。両手は床につけて上体を支えておこう。腹直筋に加え大腰筋も含めたお腹まわりの広い範囲を効果的に鍛えられる

STRETCH ≪≪ After
うつ伏せになり、両腕で上体を起こして腹筋を伸ばすようにする。腰を痛めてしまうので、反動をつけずに行う。腰を床に押しつけるようにすると、しっかり伸ばせる

Chapter 1 ……眠っている筋肉を覚醒！ [スロー] トレーニング

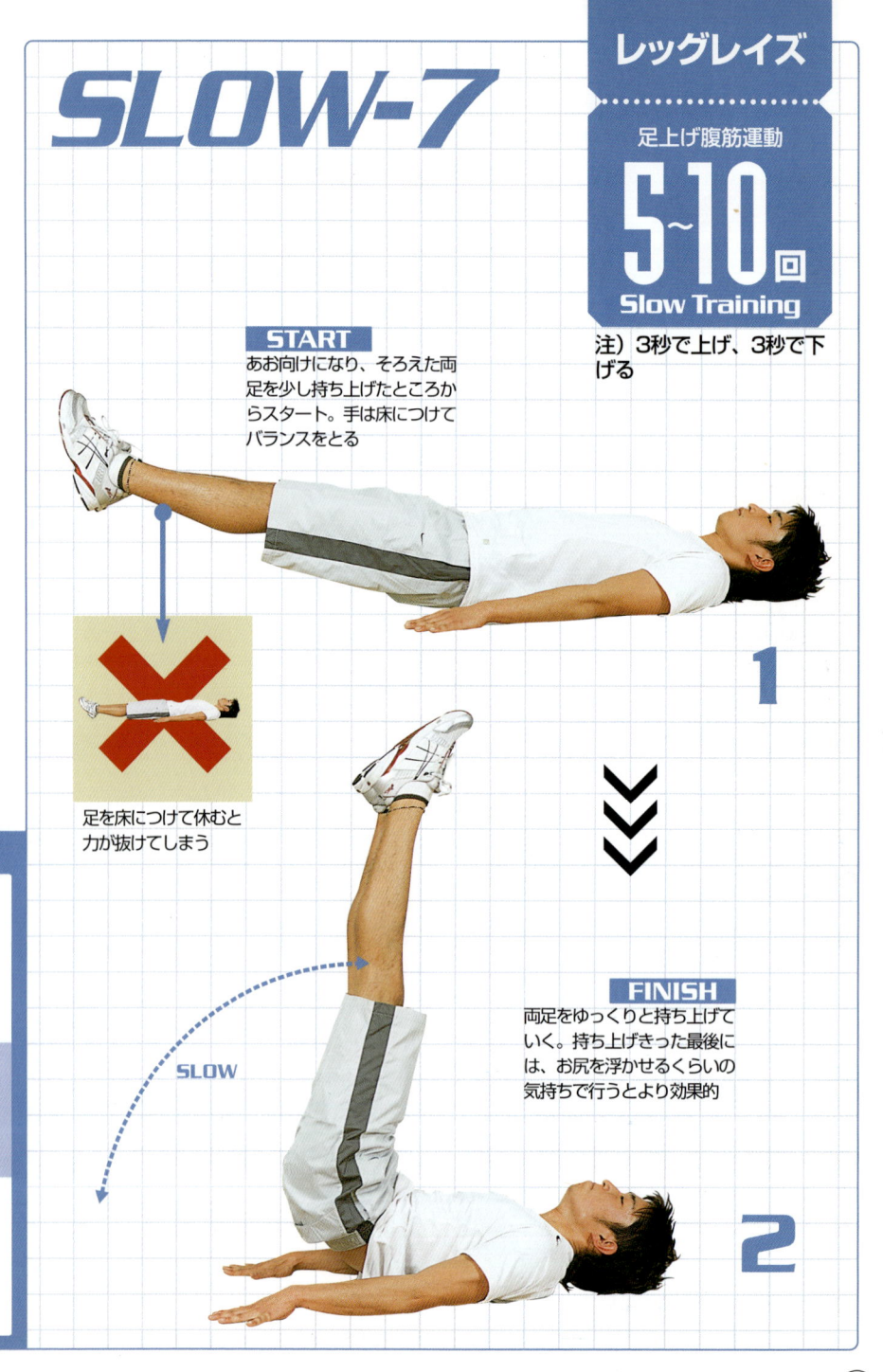

SLOW-7

レッグレイズ

足上げ腹筋運動

5〜10回

Slow Training

注）3秒で上げ、3秒で下げる

START
あお向けになり、そろえた両足を少し持ち上げたところからスタート。手は床につけてバランスをとる

足を床につけて休むと力が抜けてしまう

1

SLOW

FINISH
両足をゆっくりと持ち上げていく。持ち上げきった最後には、お尻を浮かせるくらいの気持ちで行うとより効果的

2

腹に効く

① 腹直筋（特に下腹部）
② 大腰筋
③ 大腿直筋

足をゆっくりと持ち上げ 最後はお尻まで浮かせるつもりで

あお向けで足を上下するこの運動は、足を床につけて休んでしまわないようにするのがポイント。また、足を持ち上げるときは最後にお尻まで上げるような気持ちで動作することが大切。バランスを崩さないように手を床につけて支えておこう。特に下腹に効くので、気になる人にはおすすめ。

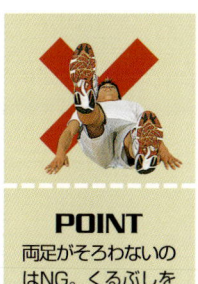

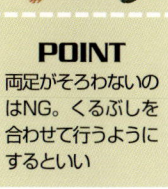

POINT
両足がそろわないのはNG。くるぶしを合わせて行うようにするといい

正面から見た動きと注意点

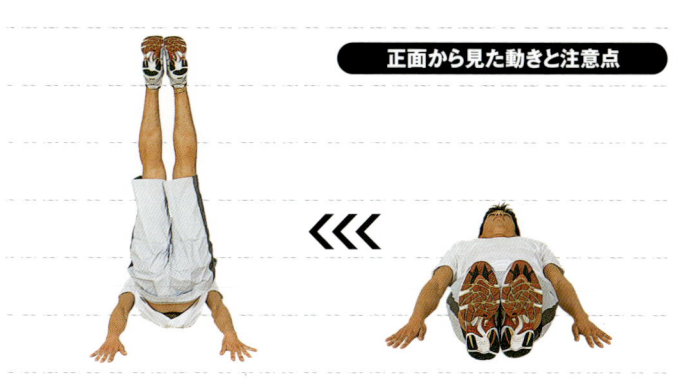

VARIATION

負荷を軽くするには

脚を伸ばして行うトレーニングがきつい場合は、両ひざを曲げて行うといい。深く曲げるほど負荷を軽くできるので、体力のあまりない人でも手軽に取り組める

STRETCH <<< After

うつ伏せになり、両腕で上体を起こして腹筋を伸ばすようにする。腰を痛めてしまうので反動をつけずに行うこと。腰を床に押しつけるようにすると、しっかりと伸ばせる

Chapter 1 …… 眠っている筋肉を覚醒！ [スロー] トレーニング

[Quick→Slow] Training

SLOW-8

ノーマルスクワット

下半身強化の王道

5〜10回
Slow Training

注）3秒で上げ、3秒で下げる

完全に立ち上がると力が抜けてしまう

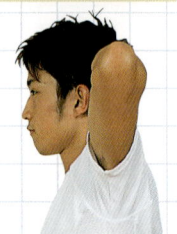

START
太ももが床に平行になる程度にひざを曲げたところからスタート。肩幅よりやや広めのスタンスで、背すじは伸ばしておこう

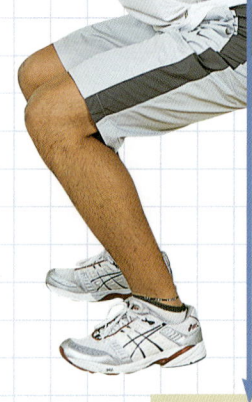

1

2

SLOW

FINISH
ゆっくりとひざを伸ばしていくが、伸ばしきらないことが大切。太ももやお尻に力が抜けてしまう箇所をつくらないように

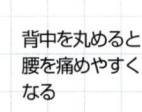

背中を丸めると腰を痛めやすくなる

脚に効く

① 大腿四頭筋
② ハムストリングス
③ 大臀筋

下半身の、もっとも効果的でポピュラーなトレーニング

　上体を垂直に起こすほど太ももの前面に効かせられる。ひざが痛む場合は上体を倒し、お尻を引いてひざを下げる。それでも痛いようならバリエーションに示すヒップスクワットに切り替えよう。太ももと床が平行になるくらいまでしゃがむこと。立ち上がるときはひざが伸びきる手前でとどめることが大切。

POINT
ひざが内や外を向くと靭帯を痛めやすい

正面から見た動きと注意点

VARIATION

ヒップスクワット

前傾してお尻を後方に大きく突き出すスクワット。お尻、太もも裏面といった背面をより効果的に刺激できるので、ヒップアップ効果が期待できる

STRETCH <<< After

反動をつけながら、屈伸運動を行う。ひざを伸ばしたときに上体をかがめて前屈すると、脚の裏面の筋肉をよく伸ばせるようになる。リズミカルに5回程度行う

Chapter 1 ……… 眠っている筋肉を覚醒！[スロー]トレーニング

[Quick→Slow] Training

［スロー］の トレーニングメニュー参考例

■ **ベーシックコース** 全身くまなく1日10分　週2-4回でカラダを変える　BASIC

MENU

1 リズミカルニーアップ **30回** P36 OR ツイストリズミカルニーアップ(※1) **20回** P37

2 ノーマルスクワット **5-10回** (限界の回数) P52 OR ヒップスクワット(※2) **5-10回** (限界の回数) P53

3 プッシュアップ **5-10回** (限界の回数) P40

4 リアレイズ **5-10回** (限界の回数) P46 OR ショルダープレス P38

5 ナロースタンスプッシュアップ **5-10回** (限界の回数) P44

6 アームカール **5-10回** (限界の回数) P42

7 クランチ **5-10回** (限界の回数) P48 OR レッグレイズ(※3) **5-10回** (限界の回数) P50

※1 トレーニング日ごとに変更。交互に行う　※2 ヒップアップを重視したい場合はヒップスクワットを採用
※3 下腹を重視したい場合はレッグレイズを採用　※セット間は休憩を30秒以内でとる

■ ハーフタイムコース　毎日ちょっとずつやりたい人は1日7分　週4-6回

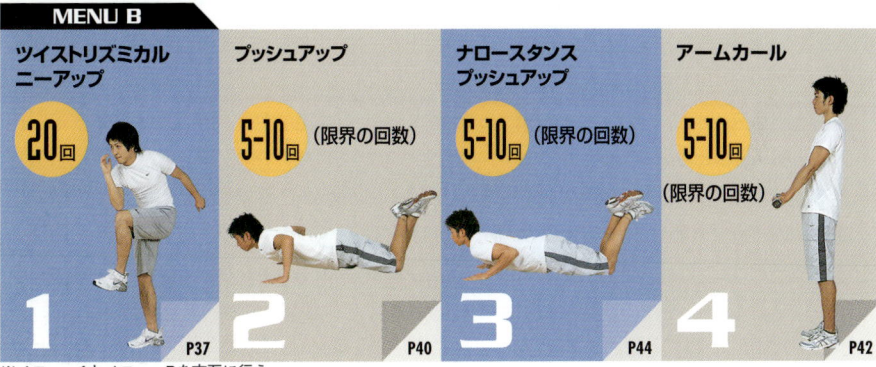

HALF

MENU A

1. リズミカルニーアップ　30回　P36
2. ノーマルスクワットorヒップスクワット(※1)　5-10回（限界の回数）　P52
3. リアレイズ or ショルダープレス　5-10回（限界の回数）　P46
4. クランチ or レッグレイズ (※2)　5-10回（限界の回数）　P48

MENU B

1. ツイストリズミカルニーアップ　20回　P37
2. プッシュアップ　5-10回（限界の回数）　P40
3. ナロースタンスプッシュアップ　5-10回（限界の回数）　P44
4. アームカール　5-10回（限界の回数）　P42

※メニューAとメニューBを交互に行う
※1 ヒップアップを重視したい場合はヒップスクワットを採用
※2 下腹を重視したい場合はレッグレイズを採用　※セット間は休憩を1分程度とる

■ ハードコース　慣れてきたらハーフタイムコースを2セットずつ1日15分　週4-6回

HARD

MENU A
リズミカルニーアップ　30回
以下ハーフタイムコースAの2～4を2セットずつ　P36

MENU B
ツイストリズミカルニーアップ　20回
以下ハーフタイムコースBの2～4を2セットずつ　P37

※2セット行う場合は、同種目を2セット続けて行い、次の種目に移る
※メニューAとメニューBをトレーニング日ごとに交互に行う
※スローで集中力が保てるのは各種目2セットまで。はりきって3セットを行うよりも、集中して2セットで追い込み抜いたほうが効果的
※メニューの順序は入れ替えてもかまわないが、上記のように大きな筋肉を使う種目から取り組むほうが、集中して最後まで行うことができる

Chapter 1 …… 眠っている筋肉を覚醒！[スロー]トレーニング

[Quick→Slow] Training

column 1

カラダづくりを左右する「ピンク筋」

❶赤・白・ピンク筋

　筋をつくる筋線維は速筋（タイプⅡ）と遅筋（タイプⅠ）の2つに大別される。速筋はスピードやパワー発揮に優れるが持久性に乏しく、遅筋は逆に、スピードに乏しいが持久性に優れている。遅筋はまた、酸素を用いて脂質を分解し、エネルギーをつくり出す能力が高い。そのために必要な赤色のミオグロビン（筋肉中に酸素を取り込むタンパク質）を多く持っているため、遅筋は見た目に赤く「赤筋」と呼ばれる。逆に速筋はミオグロビンが少なく白く見えることから「白筋」と呼ばれる。

　速筋はさらにいくつかのタイプに分けられるが、タイプⅡaとタイプⅡbに大別できる。タイプⅡbは、もっともスピードがあり持久性に乏しい、いわば「純白筋」。タイプⅡaはスピードも持久性もそこそこ兼ね備えたオールマイティな筋線維でミオグロビンを適度に持つことから、赤と白の中間である「ピンク筋」と呼ばれる。

　速筋の白とピンクは、運動や環境によって激しく変わることがわかっている。白がピンクになったり、ピンクが白になったりすることは容易に、しかも数週間でも起こるのだ。

　速筋を継続的に鍛えると、白がピンクに変わることがわかってきた。そして赤・白・ピンクの中でもっとも肥大しやすいのがこのピンク筋。また脂肪を熱に変えてくれる「脂肪燃焼タンパク質：UCP-3」の発現もピンク筋がもっとも多い。［クイック→スロー］トレーニングは「ピンク筋」を増やし発達させるから、筋肉をつけ体脂肪を減らすのに効果的といえる。

❷魚の種類と赤・白・ピンク

　この赤・白・ピンクの色の違いは、魚なら容易に見分けることができる。海底で身を潜める「白身」のヒラメは、瞬発的な動きで獲物に襲いかかる。回遊魚であるマグロは、瞬発的には動かないが長く泳ぎ続けられる「赤身」の筋肉を持っている。

　そしてサーモン「ピンク」の鮭はというと、世界中の海を回遊する回遊魚である一方、産卵期には川の流れに逆行して滝をも登るという持久力＆瞬発力を兼ね備えるピンク筋の持ち主なのだ。

（注）サケのピンク色にはアスタキサンチンという色素による要素もあります。

Chapter 2

筋肉をつけ体脂肪を落とす

［クイック→スロー］トレーニング

QUICK→SLOW

自宅で効率的に鍛えられる[クイック]トレーニングとは

「物理的ストレス」を高める切り返し動作をすばやく強くし、加速度をいかに高められるかがポイント

筋肉にストレスを与えると、それを克服するために強くなろうとする。これが筋肉を大きくするための原理。前述の[スロー]トレーニング（P28参照）では、筋肉をパンパンにパンプアップさせて追い込み、さまざまなものを分泌させる「化学的ストレス」を利用して筋肉を強くした。

これから紹介する[クイック]トレーニングでは、それとは別のタイプのストレスを筋肉に与え、トレーニング前よりも強く大きくさせるメソッドである。ここで利用するのが筋肉に微細な損害を起こさせる「物理的ストレス」である。

[クイック]のポイントは、切り返し動作を瞬間的に、いかにすばやくできるかにある。切り返し動作とは、たとえばしゃがみこんでから飛び上がるなど、動く方向を急激に変える動き。ここで加速度を目いっぱい高め、一瞬で爆発的な力を発揮するのだ。

Quick Training

すばやく切り返せば、より大きな力が使われる

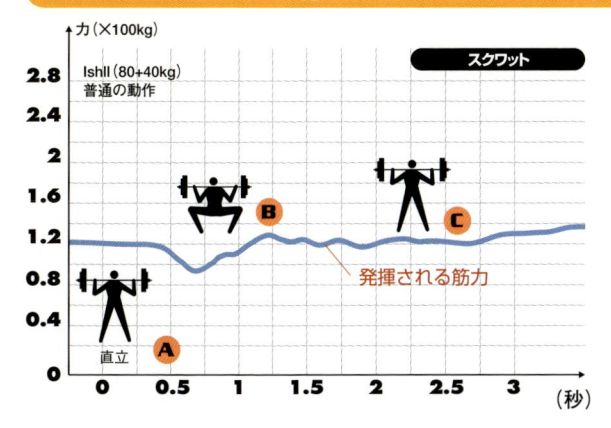

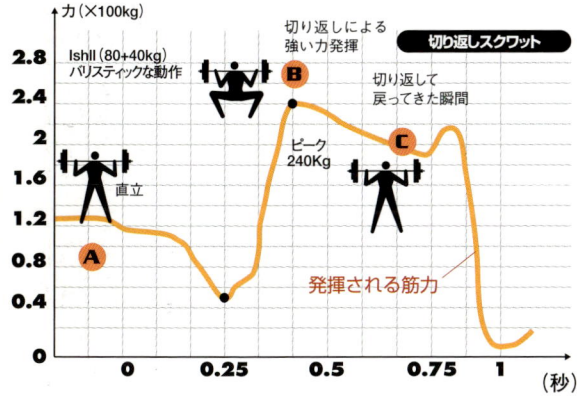

スクワット

力（×100kg）
Ishii（80+40kg）
普通の動作

A 直立
B
C
発揮される筋力

（秒）

切り返しスクワット

力（×100kg）
Ishii（80+40kg）
バリスティックな動作

A 直立
B 切り返しによる強い力発揮
ピーク 240Kg
C 切り返して戻ってきた瞬間
発揮される筋力

（秒）

体重80kgの人が40kgのバーベルを担ぎ、筋力測定器の上でスクワットを行った。グラフは床を蹴る力（＝実際に発揮された筋力）を示している。上はゆっくり、下はすばやく切り返し動作を行いスクワットをした。

上では床を蹴る力はほぼ一定だが、下は瞬間的に使われる筋力が大幅にアップし、そのピークが240kgにも達している。体重とバーベルとを合わせた120kgに加えて、2倍ほどの大きな力が使われているということ。

一気に立ち上がろうとするぶん加速度がつき、同じ負荷でもより多くの筋力が発揮できるのだ。

「力＝重さ×加速度」なので、体重の軽い人でも切り返しで加速をつけてスクワットをすれば、筋肉により大きな力をかけられることになる。

この大きな力が重いバーベルの役目をしてくれるので、[クイック]では本格的なトレーニング設備を整えなくても、自宅で手軽に速筋を大きくする刺激を与えられるのだ。

ただし、かかる力が大きくなるので不用意に行うとケガをする危険がある。カラダを徐々に慣らしていく必要があることは、絶対に忘れないようにしよう。

[Quick→Slow] Training

全力でやるから最大の効果を生む[クイック]

フルスピードで勢いをつけ、記録更新の意識が効果をより高める

[クイック]トレーニングは「より高く、より強く、より速く」を意識しながら全力で行うのが望ましい。[スロー]トレーニングでは、力を抜かず筋肉に負荷をかけ続けるため、ゆっくり行うことに意味があるのだが、[クイック]は切り返し動作の加速度で、速筋に瞬間的に大きな負荷をかける。この動作を全力で強く速く行うほど筋肉にかかる負荷は大きくなり、筋肥大につながる。

より大きな加速度で強い力が発揮できると、それが爆発的なスピードを生む。たとえば垂直跳びでジャンプ動作の速度が上がると、より高く跳べるようになるが、これをトレーニングにうまく利用する方法がある。たとえば、跳び上がったときに壁をタッチし、どれだけ高くジャンプできたかを記録しておけば、トレーニングの成果を自らの目でいつでも確認できる。またその結果から体調の変化などが比較できるうえ、記録に挑戦

Quick Training

バーベルは、上げるときより下ろすときのほうが大切!?

［クイック］トレーニングは筋の微細な損傷を効果的に起こさせ、筋肉を大きくするのがおもな目的。これを引き起こしやすいのが、筋肉が縮もうとする力を出しながらも伸ばされていく「エキセントリック収縮」だ。たとえば、ベンチプレスでバーベルを下ろしていく動作がこれに当たる。バーベルを下ろすときは、一気に落とさないようコントロールするため、上げるときと同様に腕を伸ばす力を出す。つまり、バーベルの落下にブレーキをかけるような動きをするのだ。こういった動作で筋に微細な損傷が起こりやすいことが実証されている。バーベルを「上げるだけ」と「下げるだけ」の運動を比べると、下げるほうが1.2倍程度の筋肥大が起きたという実験結果も出ている。ここで紹介する［クイック］は、動作を切り返す瞬間にこのエキセントリック収縮が強く起こり、筋に強い物理的ストレスをかけられる。

バーベルは、下ろすより、上げる（これを「コンセントリック収縮」という）ほうが感覚的につらいので効果がありそうだが、筋の微細な損傷はバーベルを下ろす動作でおもに起こり、上げる動作では、じつはほとんど起こらない。山登りで起きる筋肉痛は、山を降りたことによるものなのだ。

エキセントリック収縮が筋の微細な損傷を起こす！

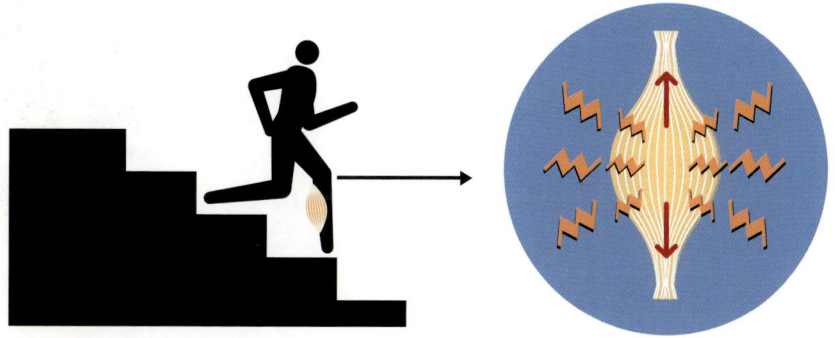

階段を下りるときも…　　　エキセントリック収縮

筋肉の2種類の収縮

エキセントリック収縮
筋肉が縮む力を発揮しながらも伸ばされてしまうこと。階段を下りたりバーベルを下げたりといった「ブレーキ」の働きをする

コンセントリック収縮
筋肉が縮む力を発揮しながら短縮すること。階段を上ったりバーベルを上げたりといった「アクセル」の働きをする

することでモチベーションも高まる。

全力で行うため大きな疲労を感じるかもしれないが、継続することで記録更新という大きな達成感を得られるだろう。同時に自分の肉体の成長を実感できれば、トレーニングの疲労も大きな喜びと快感へと変えていけるに違いない。

QUICK

究極の組み合わせ [クイック→スロー]トレーニング

[クイック]でダメージを与えた筋線維に
[スロー]で成長ホルモンのシャワーを浴びせる

[スロー]トレーニングと[クイック]トレーニングを組み合わせて行うと、筋肉に2タイプのストレスをかけられ、そこからの回復により筋肥大に相乗効果をもたらすことができる。組み合わせ方は、筋肉がまだ疲れていないときに強い力発揮でダメージを与え、その後パンプアップさせられる[クイック→スロー]がいいだろう。まず[クイック]の大きな物理的ストレスで、筋肉にダメージを与える。さらに[スロー]で化学的ストレスを与え筋肉を追い込んで、そこに成長ホルモンのシャワーを浴びせかける。つまり、キズから大きく回復しようとする筋肉に、より大きな筋肥大効果が得られるシャワーが降り注いでいれば、より大きな筋肥大効果が得られるわけだ。どちらか一方でも効果はあるが、この組み合わせと順序で得られるメリットを利用しない手はないだろう。

逆に[スロー]で筋肉内に乳酸をため、パンパンにパンプアップさせて

Quick Training

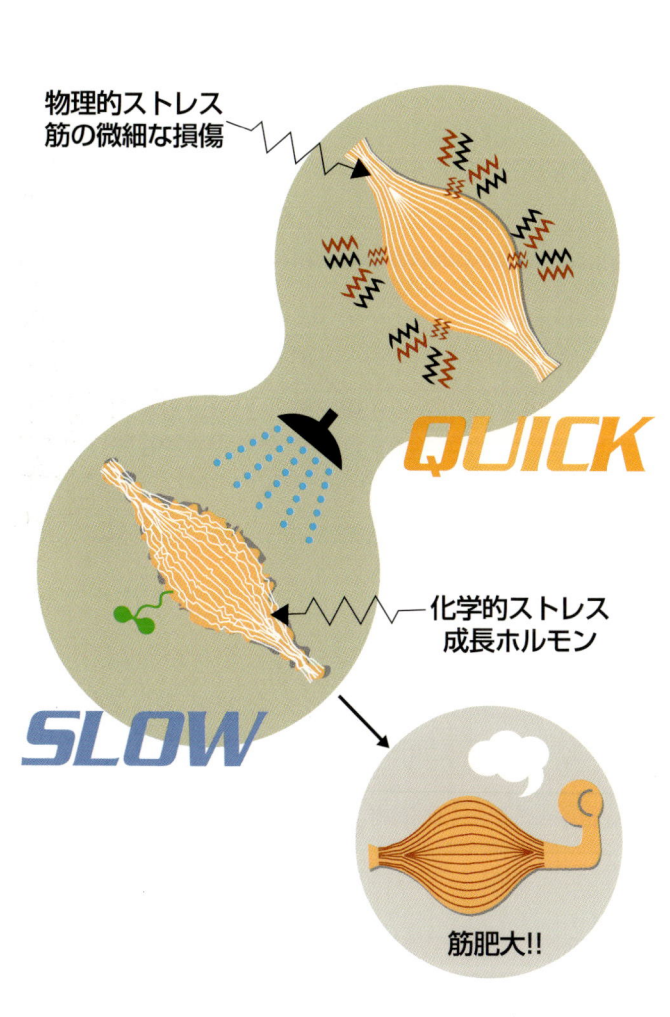

SLOW

物理的ストレス
筋の微細な損傷

QUICK

化学的ストレス
成長ホルモン

SLOW

筋肥大!!

からの［クイック］動作は、筋にがんばりが利かず十分なトレーニングを行いにくい。動きも硬くなるので、ケガの危険性が高まるおそれもある。トレーニングは［クイック→スロー］の順で行おう。傷つけられた筋肉は、スポンジが水を吸い込むかのように成長ホルモンを取り込み、もっと強く、太くなろうとする。そして体脂肪もどんどん燃焼されるのだ。

Chapter 2 ……筋肉をつけ体脂肪を落とす［クイック→スロー］トレーニング

(63) [Quick→Slow] Training

［クイック→スロー］が筋肉を大きくするしくみ

ダメージを与えた筋肉に、成長ホルモンを供給。
筋肉を効率よく肥大させる最高の環境が生まれる

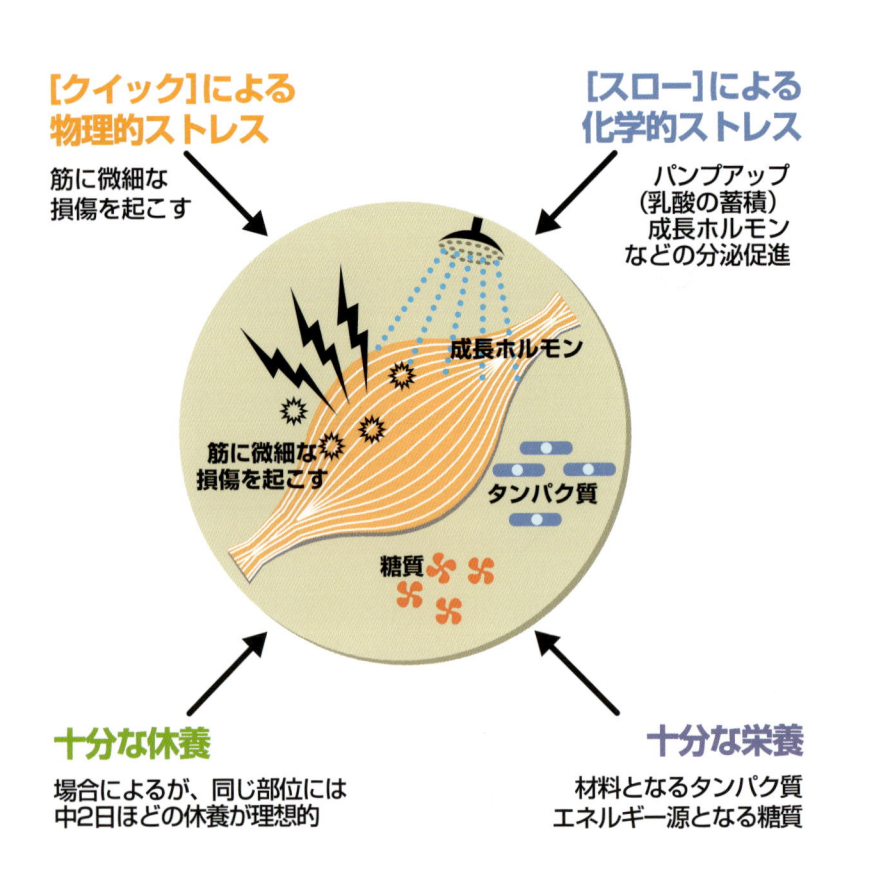

［クイック］による物理的ストレス
筋に微細な損傷を起こす

［スロー］による化学的ストレス
パンプアップ
（乳酸の蓄積）
成長ホルモン
などの分泌促進

成長ホルモン
筋に微細な損傷を起こす
タンパク質
糖質

十分な休養
場合によるが、同じ部位には
中2日ほどの休養が理想的

十分な栄養
材料となるタンパク質
エネルギー源となる糖質

筋肉の肥大に必要な2大ストレスを与える

[クイック]トレーニングで物理的ストレスを与え激しい筋破壊を起こさせる

Quick Training！

↓

「ノンロックスロー法」により血流制限　速筋が大活躍

Nonlock Slow

↓

乳酸を多量に出させてパンプアップ　化学的ストレスを与える

Pump UP！

↓

乳酸が成長ホルモンの分泌を促し破壊された筋線維に作用

↓

筋肥大

POWER UP！

　筋肥大の条件にはいくつかの要素があり、それらが複雑に絡み合っている。[クイック]トレーニングでは、切り返し動作で瞬間的に強い力を筋肉にかけられるので、筋に微細な損傷が起こりやすい。この小さな損傷からの超回復が筋肥大を生む。

　もうひとつが、乳酸などの代謝物をためさせて筋肉の化学的環境を日常生活ではありえない過酷な状態にすること。[スロー]トレーニングは、血流を制限する軽い負荷の運動でこれを効率よく行い、このストレスからの回復と成長ホルモンの持つ効果で筋肥大し、体脂肪を分解する。

　筋肉は適度なストレスを与えると、それに適応しようと確実に大きくなる。[クイック]による「物理的ストレス」での筋へのダメージと、[スロー]のパンプアップで与えられる「化学的ストレス」を上手に組み合わせよう。[クイック→スロー]で両方のストレスを効率よく組み合わせることでより効率的な筋肥大効果が期待できる。

MORE EFFECT

[クイック]にはさらにこんな効果が

「バネ」があり、しなやかに力強く動けるスポーツ万能のカラダになれる!

「バネのある動き」「バネのある筋肉」という言葉が、スポーツではよく使われる。たとえばバレーボール選手がスパイクを打つときのジャンプは、それこそ全身がバネのように見えるだろう。じつはこの「バネのある動き」の秘密が、[クイック]トレーニングで行う切り返しの動作（しゃがみこんでから跳び上がるなど、動く方向を急激に変える動作）にある。

カラダは、筋肉で骨を引っ張って関節を動かすことで動くのだが、この筋肉は骨に直接ついているわけではない。筋肉の両端には腱があり、その腱が骨とつながっている。腱は筋肉のように自ら縮んで力を出すことはできないが、伸ばされると強力な弾性力を使って反動的な力を発揮する。つまり「バネ」として働くわけだ。カラダの中にバネがあるのだから、これをうまく利用しない手はないだろう。

腱のバネ作用は、切り返す瞬間に強い力を出すことで、うまく利用でき

垂直跳びをしゃがみこんだ状態から行う人はいない―腱をバネのように使う「SSC」とは

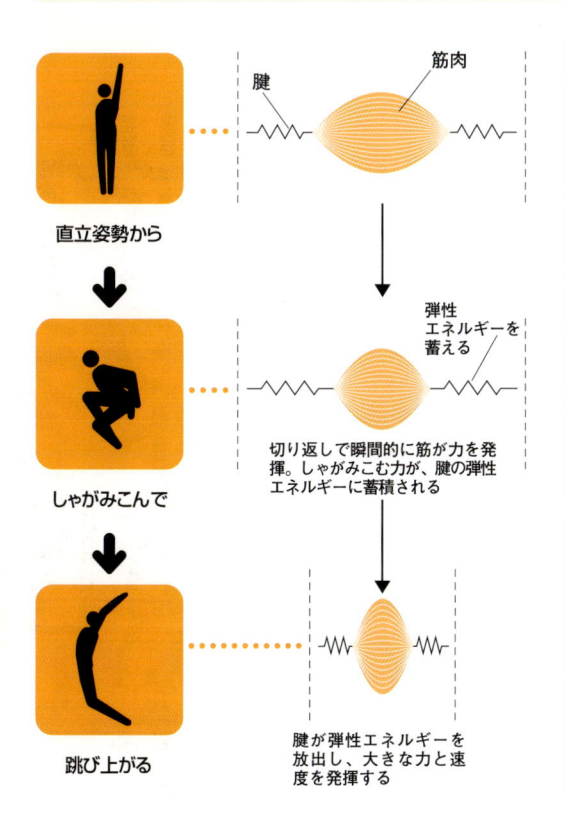

直立姿勢から
腱 / 筋肉

しゃがみこんで
弾性エネルギーを蓄える
切り返しで瞬間的に筋が力を発揮。しゃがみこむ力が、腱の弾性エネルギーに蓄積される

跳び上がる
腱が弾性エネルギーを放出し、大きな力と速度を発揮する

しゃがみこみジャンプのように、強い切り返しで腱のバネ作用を使う反動動作をSSC（Stretch Shortening Cycle）といい、日本語では「伸張―短縮回路」となる。反動を使うことで筋肉と腱を一度強制的に伸ばし、すばやく収縮させて大きな力を出すテクニックだ。

体力テストなどで垂直跳びをやった人は多いと思うが、必ず直立姿勢から勢いよくしゃがみこんで跳び上がろうとするはず。しゃがんだ状態から跳び上がろうとする人は、まずいないだろう。

試してみるとわかるが、座った状態から跳び上がるのと、勢いよくしゃがみこんでその反動で跳び上がるのとでは、跳躍幅に大きな違いが生じる。しゃがみこみを使ったほうが、1.5倍ほどよい記録が出せるのだ。これがSSCという反動動作のテクニック。［クイック］トレーニングでのSSCの重要性が簡単に実感できるので、試してみるといいだろう。

る。たとえばしゃがみこむ動作は、太ももの筋肉と腱とを強く引き伸ばす。その瞬間に筋肉が強い力を発揮する（一気に縮まろうとする）と、その両端の腱は、引き伸ばされるバネとして力を蓄える。この力を跳び上がる動作に利用することで、バネのある動きが生まれるのだ。

［クイック］は切り返し動作で腱の「バネ作用」をふんだんに使うトレーニングなので、「バネのある動き」が上手になる。その結果、スポーツパフォーマンスの向上が見込めるわけだ。

NO REBOUND

［クイック→スロー］ならリバウンドしないカラダになる

食事制限のみは筋肉を落としてしまう「痩身」。
［クイック→スロー］は体脂肪を選択的に落とす

体脂肪を落とすときに、まず食事量だけを減らしていく人は少なくないだろう。しかし、それだけでは脂肪より先に筋肉が分解・消費されてしまいやすいのだ。

食事制限などで摂取エネルギーを極端に少なくすると、カラダは飢えを感じて生命維持の危機を察知する。すると、基礎代謝を上げる大食らいの筋肉を減らし、エネルギーストックとなる脂肪を蓄えながら、少ない基礎代謝で動ける省エネモードのカラダになろうとする。これが進行すると、筋肉がどんどん減少して基礎代謝が下がり、ますます脂肪をためこみやすいカラダになってしまう。体重は軽くても脂肪の多い「隠れ肥満」はこうして生まれる。

しかし［クイック→スロー］トレーニングと、ある程度の食事制限（第5章参照）を組み合わせると、筋肉でなく体脂肪を選択的に落としていけ

リバウンドはなぜ起こるのか

リバウンドの原因は、過度な食事制限が引き金となるケースが多いようだ。

食事制限を激しく行うほど体重は大幅に落ちるが、多くは隠れ肥満という「筋肉が減り体脂肪率が高い」カラダとなる。さらに食事を制限し続けると、カラダが飢餓状態に「適応」し、飢え死にしないためにエネルギーの貯蔵庫である脂肪を残し、エネルギーを多く消費する筋肉を減らそうとする。これは飢えから生き残るためにカラダがとる戦略なのだ。

筋肉が減ると基礎代謝が下がるばかりでなく、体力も落ちて日常の活動量が落ちる。また「省エネモード」のカラダで食事制限をやめると、増えたぶんだけ食事は脂肪に蓄えられて体重は一気に増加、リバウンドが始まる。極端な食事量の制限は、摂取する食品目が少なくなりがちで栄養素不足となり、深刻でさまざまな問題を引き起こすだろう。さらに過度の食事制限で落ちるのはおもに筋肉なので、決してカラダデザインはできない。

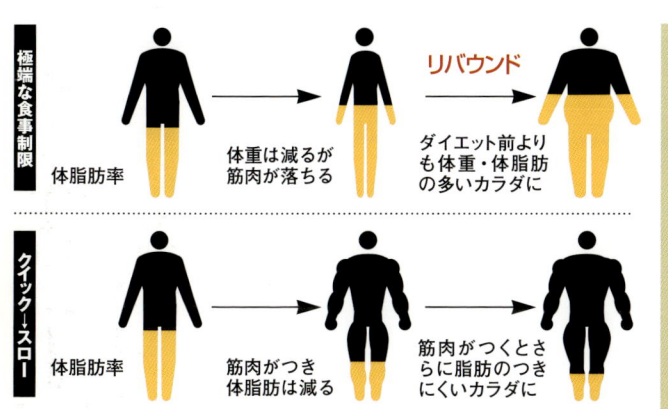

極端な食事制限
体脂肪率 → 体重は減るが筋肉が落ちる → リバウンド → ダイエット前よりも体重・体脂肪の多いカラダに

クイック→スロー
体脂肪率 → 筋肉がつき体脂肪は減る → 筋肉がつくとさらに脂肪のつきにくいカラダに

◯=体脂肪　●=筋肉

> 激しい食事制限だけで痩せた場合は、筋肉が落ちて全体が細くなり一時的にはスリムになる。しかし、筋肉という脂肪を燃やす焼却炉を大きく失っているため、食事制限をやめたとたん、体脂肪が一気につきやすくなる。
> 一方、トレーニングしながら適度に食事制限をすると、筋肉量を維持、または増大させながら、体脂肪を選択的に落としていける。食事制限を解除しても焼却炉は元気でメラメラと体脂肪を燃やし続ける。

るようになる。食事制限のレベルにもよるが、エネルギー不足でカラダが筋肉を減らそうとしても、トレーニングによって筋肉を大きくする刺激を与えているため筋肉は落ちにくく、むしろ肥大していく。すると、エネルギーの不足分を脂肪を燃やすことで補おうとするのだ。

絶食に近いような激しい食事制限は、たしかにもっとも手早く、見た目に痩せられて体重も落とせる方法だろう。しかしこれは筋肉を落とし、時には骨をスカスカにする危険性もある。取り返しがつかなくなる前に、[クイック→スロー]などの正しい運動と正しい食事（第5章参照）で、理想のカラダをつくり上げよう。

[クイック→スロー]を始める前に

効果的に負荷をかけられるからこそ、注意が必要。特に運動の習慣がなかった人は、[スロー]から入ること

トレーニング前のウォームアップが大切

トレーニングを始める前は、必ずウォームアップを行うことが大切。全身を動かすことで血流が増し筋肉の温度が高くなる。この「温めること」で、筋肉と腱はやわらかくほぐれエネルギー反応も活発になる。そして筋肉がスムーズに運動するための準備ができ、気持ちよくトレーニングを始められるのだ。

またストレッチには、関節の可動域を広げてケガのリスクを軽減してくれるすばらしい効果がある。[クイック]の前後には必ずストレッチをしよう。

[クイック→スロー]はとても効果が高く優れたトレーニング法だが、始めるにあたっては十分な注意が必要だ。[クイック]は、加速をつけて強く切り返す動作で大きな負荷を筋肉に与えられるが、それは強大すぎるストレスになるともいえる。定期的に運動を行っていない人はケガに注意しよう。

まず[スロー]から始め、運動することに全身を慣れさせて[クイック]に耐えられるカラダをつくる。それから[クイック→スロー]を行うことで、スムーズに効率よく理想のカラダに近づける。ただしこのときも最初から全力でやるのではなく、慣らしながら徐々に負荷を高めるようにしよう。車にも慣らし運転が必要なように、くれぐれも取り組む前のしっかりとした準備が大事。入念なウォームアップとストレッチはリスクを軽減してくれる。トレーニング前は必ず行おう。

ルーの法則 ── 人間の体はストレスに適応する能力を持っている

　重たい重量を上げ下げするような運動が筋力を上げることは、昔から経験的に知られていた。人間のカラダは筋肉に限らず、何かしらのストレスを与えられると、そのストレスに耐えられるように適応する能力を持っている。たとえば、いつも薄着をしていれば寒さに強くなる。しかしこの適応能力はストレスに対して際限なく対応できるわけではない。適応可能な範囲があって、適度なストレスには適応してそれに対する能力が高まるが、過度のストレスには耐えきれずにその能力が衰退する。薄着をすれば寒さに強くなるが、薄着しすぎると寒さに耐えられずに風邪をひいてしまうのだ。

　また、ストレスの程度が低すぎたりしてもやはり、その能力は衰退していく。適度にトレーニングすると強くなり、オーバートレーニングや運動不足で筋肉は逆に弱くなる。厚着をしていたり、暖房の部屋でずっと過ごしたりすると、寒さに弱くなるのだ。これらの適応現象を「ルーの法則」という。

　スポーツにおける体力トレーニングは、すべてこの「ルーの法則」に従う。適度にストレスをかけるからこそ発達できるわけで、やればやるほど強くなるというわけではないのだ。

カラダひとつでできる自重系[クイック→スロー]トレーニング

自宅で手軽にできるのが特徴。器具を使わなくとも高度なトレーニングが可能

> [クイック→スロー]は安全のため必ず以下の手順で行うようにする
> 1. クイック：3割くらいの力で5回、5割くらいの力で5回（計2セット）をウォーミングアップとして
> 2. ストレッチ（スタティック：静的、ジワジワ伸ばす）
> 3. クイック：全力で行う本番セット
> 4. ストレッチ（スタティック：静的、ジワジワ伸ばす）
> 5. スロー：本番セット
> 6. ストレッチ（ダイナミック：動的、反動をつけて伸ばす）

自重系トレーニングとは、自分の体重を負荷にしてカラダひとつでできるトレーニングのこと。器具を使うとしてもひと組のダンベル程度である。

従来のトレーニング法では、ジムにあるようなトレーニングマシンやバーベルのような大きな器具を使わないと筋肥大のための適切な負荷をかけにくかったため、効果的なトレーニングが難しかった。

しかし[クイック]トレーニングなら、切り返し動作の加速度を高めることで、バーベルのような重い道具を使うことなく、大きな負荷を筋肉に与えられる。自宅でも手軽に筋肉に微細な損傷を負わせ、大きく回復させられるのが、非常に大きなメリットといえる。

さらに筋肉にダメージを与えたあとに[スロー]を行えば、修復を待つ筋肉の成長を促す、成長ホルモンのシャワー浴びせかけられる。自宅でも効率的に充実したトレーニングができるのだ。

クイックなら道具なしでも大きな負荷を与えられる

自重系
器具などを使わずに行うトレーニング。負荷となるのは基本的に自分の体重だけ。切り返し動作の加速度で強度を調節する

フリーウエイト
ダンベルやバーベルを使ったトレーニング。ディスクを入れ替えて負荷を調節する。手に持って行うため姿勢が重要なポイントとなる

マシン
負荷が鍛えたい部分にピンポイントにかけられる。それぞれのマシンで目的が特化されるため、鍛えたい部位ごとに別のマシンが必要

Chapter 2 ……筋肉をつけ体脂肪を落とす［クイック→スロー］トレーニング

QUICK-1

1

プッシュアップジャンプ

思い切り高く

10 回

Quick Training

注）30％の力で5回、50％の力で5回、ストレッチをしてから行う

START
10〜15cmくらいの台（本を重ねてもよい）の上に両手を置き、ひじを伸ばす。肩からかかとまでまっすぐに保つ

FINISH
台から肩幅の1.5倍程度の手幅で着地したら、そこから一気に動作を切り返して上体を浮かせるようにする

Quick

2

胸に効く

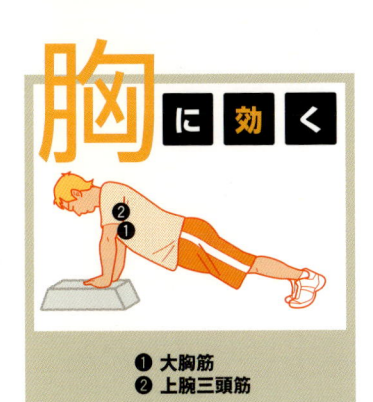

1. 大胸筋
2. 上腕三頭筋

落下の勢いを反動として利用し、腕の曲げ伸ばしで上体を浮かせる

普通のプッシュアップ（腕立て伏せ）の動きをもっとダイナミックにし、台から着地した勢いを利用して、できるだけ高く跳ね上がるように動作を切り返す。落下の勢いを受け止めて、瞬間的に大きく跳ね上がることで筋肉に強い力をかけられるようになる。切り返しはできるだけすばやく行おう。

正面から見た動きと注意点

POINT 手のひらの向きを要チェック。指先が内側を向くと手首を痛めやすいので注意

STRETCH ≪ After

右腕を伸ばし、壁に手を当てた状態から、カラダを左側にひねろうとすることで胸と腕の表の筋肉を伸ばす。逆側も同じように行う

SLOW Training 5～10回

プッシュアップ

START 両手の間隔は肩幅の1.5倍強程度とし、胸が床につく直前の姿勢からスタート

FINISH 完全にひじを伸びきらせないようにするのが極めて重要

注）3秒かけて上げ、3秒かけて下ろす

Chapter 2 筋肉をつけ体脂肪を落とす[クイック→スロー]トレーニング

[Quick→Slow] Training

QUICK-2

クイックアームカール

カラダの「あおり」を使う

左右交互を **10** 回

Quick Training

注）30％の力で5回、50％の力で5回、ストレッチをしてから行う

1 START
スタンスは肩幅程度。腕を下げている側の足に重心を乗せておき、やや前かがみになってひざを少し曲げる

2 FINISH
ひざを伸ばす勢いを利用して一気にダンベルを跳ね上げるようにしよう

Quick

✗ 持ち上げるときにわきが開くと、上腕二頭筋に効かない

注）規定回数ができる程度のダンベルを使用。2〜3kgから始めたい

腕に効く

① 上腕二頭筋

ダンベルを高速で跳ね上げることで上腕二頭筋を効果的に刺激できる

ダンベルを用いた腕の曲げ伸ばし運動だが、単純に腕だけを使っていたのでは大きな加速が得られない。足で地面を蹴る力と上体を後方へあおる力、腰をひねる力を利用して、全身でダンベルを跳ね上げるように引き上げよう。全身のバネの力を上腕二頭筋に伝えることで、大きな負荷が得られる。

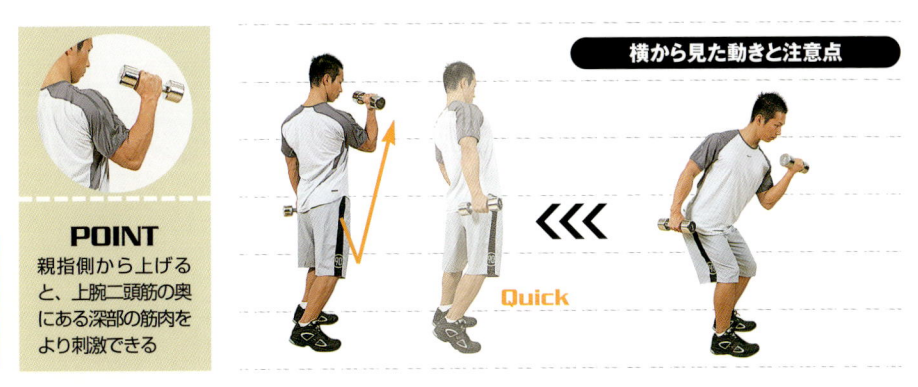

POINT
親指側から上げると、上腕二頭筋の奥にある深部の筋肉をより刺激できる

横から見た動きと注意点

Quick

STRETCH《《《 After

右腕を伸ばし壁に手を当てた状態から、カラダを左側にひねろうとすることで胸と腕の表の筋肉を伸ばす。逆側も同じように行う

SLOW Training 5〜10回

アームカール

START
ひじをカラダの前に出して、ダンベルを軽く持ち上げた、腰の高さからスタート

FINISH
ダンベルを水平より45度程度持ち上げたところまで上げる。肩の高さまでが目安

注) 3秒かけて上げ、3秒かけて下ろす

Chapter 2 ……筋肉をつけ体脂肪を落とす［クイック→スロー］トレーニング

QUICK-3

**ナロースタンス
プッシュアップジャンプ**

わきをしっかり締めて

10回

Quick Training

注）30％の力で5回、50％の力で5回、ストレッチをしてから行う

1

START
台の上に両手をおき、ひじを伸ばす。肩からかかとまでをまっすぐに保つ

2

Quick

着地したところで動作を止めてしまわないように

FINISH
台から肩幅の手幅で着地したら、そこから一気に動作を切り返して上体を浮かせるようにする

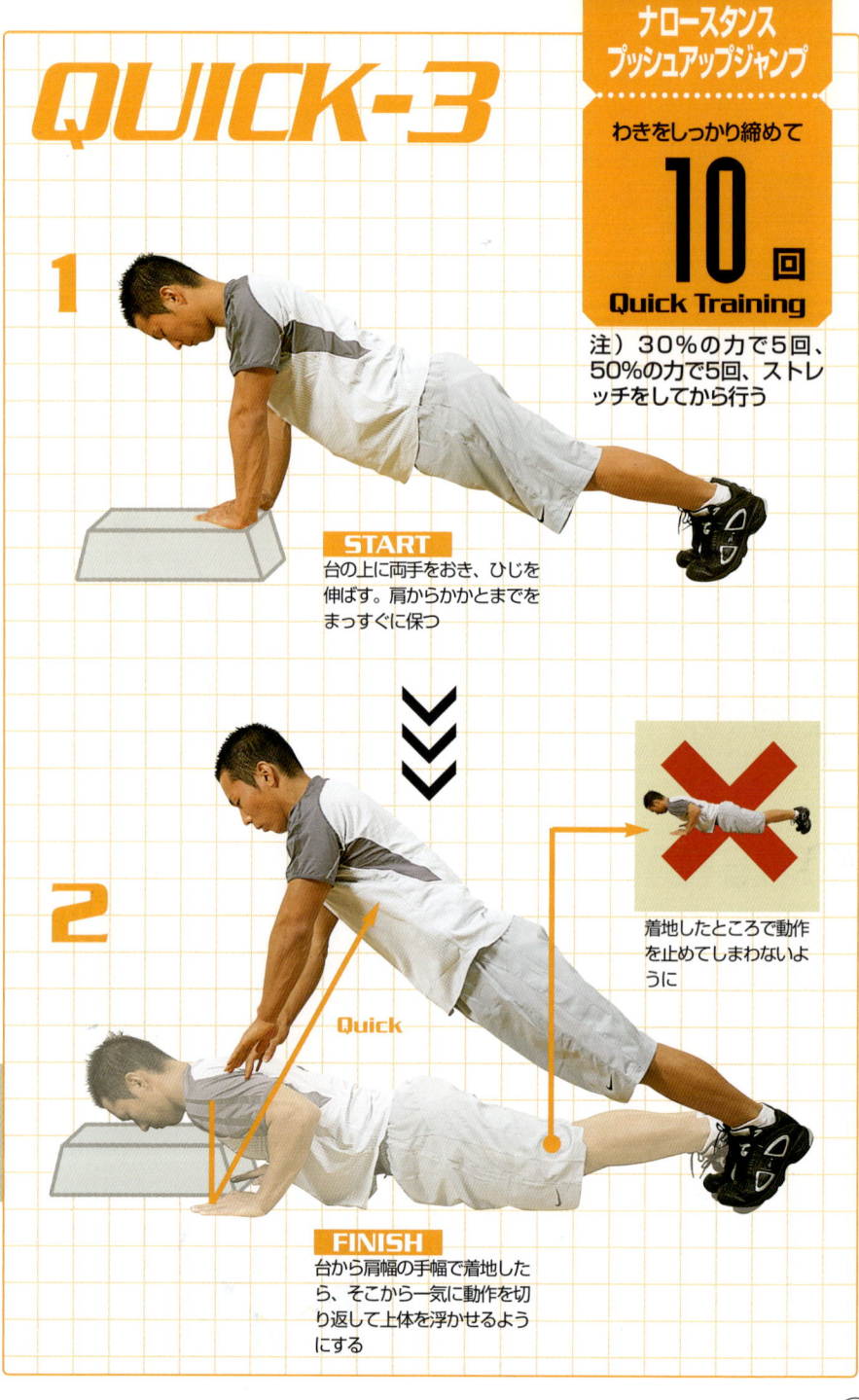

78

腕に効く

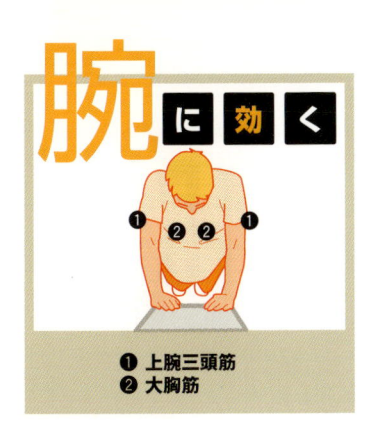

① 上腕三頭筋
② 大胸筋

着地の手幅を狭めることで二の腕の裏に刺激が加わる

胸と二の腕の裏をよく使うが、二の腕の裏により負荷をかけられる。通常のプッシュアップジャンプとの違いは着地の手幅の間隔だけ。このように、少し姿勢を変えるだけでも筋肉の使われ方はかなり違ってくるということを知っておこう。わきをしっかり締めるように意識すると、動作しやすくなる。

POINT
ひじを外側に開くと、手首を痛めやすい。わきをしっかり締めること

正面から見た動きと注意点

Quick

STRETCH <<< After

頭の後ろに両手をおき、そこで右手で左手のひじをジワジワと下方に引く。左右行う

SLOW Training　5〜10回

ナロースタンスプッシュアップ

START
両手の間隔は肩幅程度とし、胸が床につく直前の姿勢からスタート。肩からひざまでは一直線に

FINISH
ひじを伸び切らないようにすることが重要。力が抜けてしまう箇所をつくらない

注) 3秒かけて上げ、3秒かけて下ろす

Chapter 2　筋肉をつけ体脂肪を落とす[クイック→スロー]トレーニング

QUICK-4

クイックシットアップ

超高速腹筋を **15秒間**
Quick Training

注）目標は15回

1 START
お尻を床から軽く持ち上げる。お尻を痛めやすいので、床にはタオルなどを敷く

お尻を上げない普通の腹筋運動だと、動作を十分加速しにくい

2 FINISH
お尻を床に落とす反動を利用して、一気に全力で上体を起こす。両ひじが両ひざにつくまで起き上がろう

Quick　Quick

腹に効く

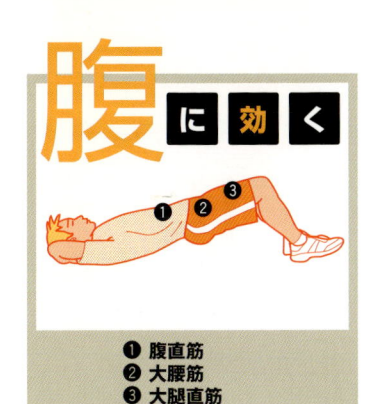

① 腹直筋
② 大腰筋
③ 大腿直筋

お尻を床に落として勢いをつけその反動で上体を持ち上げる

クイックシットアップは普通の腹筋運動を、反動を使って目いっぱい加速させる方法。反動をふんだんに使いスピードをつけて行うのがポイントだ。上体を持ち上げるときに、お尻を浮かせてから床に落とす反動を利用してスピードをアップさせる。15秒間、超高速でできるだけの回数を行う。

POINT
足を固定して行ったほうが、運動の加速度をより高められて効果的

正面から見た動きと注意点

Quick

STRETCH <<< After

うつ伏せになり、両腕で上体を起こして、腹筋をジワジワと伸ばすようにする。腰を床に強く押しつけるようにすると、しっかり伸ばせる

SLOW Training　5〜10回

クランチ

START
あお向けになり両ひざを軽く曲げる。両手は後頭部で組み、肩を少し持ち上げる

FINISH
みぞおちを中心に上体をできる限り丸め込む。首→肩→腹と徐々に丸め込むイメージ

注）3秒かけて上げ、3秒かけて下ろす

Chapter 2 ……筋肉をつけ体脂肪を落とす［クイック→スロー］トレーニング

QUICK-5

クイックニートゥチェスト

ひざの引き寄せ運動

15秒間
Quick Training

注）目標は15回

1

START
上体を少し後傾させておき、両ひざを軽く曲げて足を浮かせておく。両手は床につけて上体を支えるようにしよう

FINISH
両ひざを胸に向けてできるだけ速く引き寄せる。これを、目標の15〜20回を目指して高速でくり返す

手をお尻の真横につくとバランスを崩しやすくなるので要注意

2

Quick

Quick

腹に効く

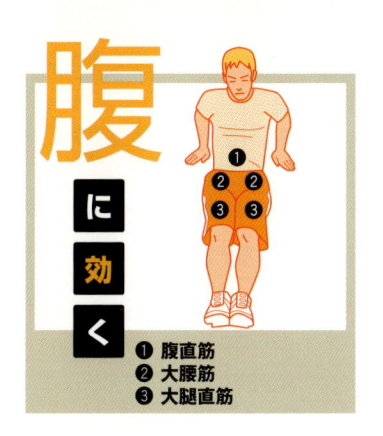

① 腹直筋
② 大腰筋
③ 大腿直筋

上体を後傾させたその反動で、一気にひざを胸に引き寄せる

クイックニートゥチェストは、ひざを胸に高速で引き寄せる動作をくり返す運動。脚を伸ばし、上体を後傾させる反動を使って、一気に胸とひざとを引き合わせるようにする。お腹の広範囲の筋肉を刺激できるため、ウエストを引き締めたい人にはうってつけのメニュー。加速をつけて15秒間全力で行う。

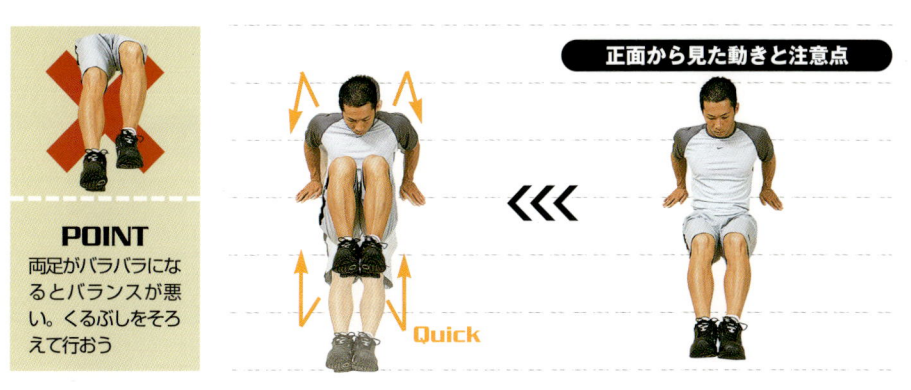

正面から見た動きと注意点

POINT
両足がバラバラになるとバランスが悪い。くるぶしをそろえて行おう

Quick

Chapter 2 筋肉をつけ体脂肪を落とす[クイック→スロー]トレーニング

STRETCH ≪≪ After

うつ伏せの姿勢から両腕で上体を起こしていき、腹筋をジワジワと伸ばすようにする。腰を床に強く押しつけるようにすると、しっかり伸ばせる

SLOW Training 5〜10回

レッグレイズ

START
脚を伸ばして、床から少し浮かせておく。両手をしっかり床についてバランスをとろう

FINISH
両足を持ち上げ、フィニッシュではお尻を浮かせるつもりで大きく動作する

注) 3秒かけて上げ、3秒かけて下ろす

QUICK-6

クイックベントオーバーローイング

勢いよくひじを突き上げる

左右交互を **10** 回
Quick Training

注）30％の力で5回、50％の力で5回、ストレッチをしてから行う

1

START
右腕はしっかりと下げきり、左腕はひじを高く上げた姿勢となる。胸を張り、お尻は突き出すようにして中腰となる

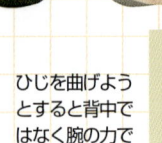

ひじを曲げようとすると背中ではなく腕の力で引いてしまう

FINISH
一度右腕をさらに深く落としてから跳ね上げるようにダンベルを引き上げる。このときの体幹のひねりを反動に利用

2

注）規定回数ができる程度のダンベルを使用。2～3kgから始めたい

背に効く

① 広背筋　③ 三角筋
② 僧帽筋　④ 上腕二頭筋

体幹のひねりを反動として使い左右の腕を一気に入れ替える

前かがみの姿勢となり腕の力を抜き、両手に持つダンベルを交互に引き上げる動作をくり返す。体幹部のひねりを反動として使い、一気に切り返すようにする。ひじを曲げるのではなく、ひじを突き上げるイメージだ。ダンベルは肩ではなく腰のほうに向かって引き上げると、背中で引く感覚がつかみやすい。

側面から見た動きと注意点

Quick

POINT
背中を丸めると背中の筋肉で引きにくい。また腰も痛めやすくなる

Chapter 2 筋肉をつけ体脂肪を落とす［クイック→スロー］トレーニング

STRETCH ≪≪ After

手を組み、手のひらを床に向けて前屈。カラダを倒すというより、手を床に向けて押し出していくようにする。背中を丸めてしっかりと引き伸ばす

SLOW Training 5〜10回

リアレイズ

START
ひざを軽く曲げ、カラダを前傾させる。ダンベルはななめ後方30度くらいに持ち上げておく

FINISH
ややななめ後ろに向かってダンベルを持ち上げる。上げられるところまで上げよう

注）3秒かけて上げ、3秒かけて下ろす

QUICK-7

スクワットジャンプ

できるだけ高く跳躍

10回
Quick Training

注）30％の力で5回、50％の力で5回、ストレッチをしてから行う

✗ 上体が起きたままだとしゃがみこむ勢いが小さくなってしまう

FINISH
上体を深くしゃがみこませたら、その反動で一気にできるだけ高く跳躍する

START
両腕を頭上に持っていき、背中は反らせて腕を勢いよく振り下ろししゃがみこむ。スタンスは肩幅よりやや広めに

Quick

脚に効く

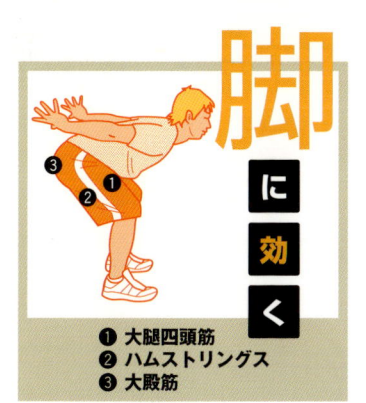

① 大腿四頭筋
② ハムストリングス
③ 大殿筋

しゃがみこみの反動を利用して可能な限り高くジャンプ

勢いよくしゃがみこんだ反動を使ってジャンプする。できるだけ高く跳ぶようにし、着地したらそのしゃがみこみの勢いを反動に代えて再びジャンプ。腕を振り上げる勢いも利用して行おう。毎回全力で跳ぶことが大切だ。かなりハードだが、それだけ効果を期待していいトレーニングである。

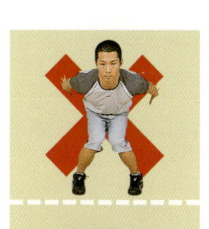

正面から見た動きと注意点

POINT
しゃがみこんだときにひざが内側に入ってしまうと、ひざの靭帯を痛めやすい

STRETCH ≪≪ After

片脚立ちとなり、お尻のところでつま先をつかんで、引っ張り上げるようにすることで太もも前面をストレッチ（写真右）。太もも裏面はひざを軽く曲げ前屈してストレッチ（写真左）

SLOW Training 5〜10回

ノーマルスクワット

START
太ももが床と平行になる程度にひざを曲げたところからスタート。スタンスは肩幅程度

FINISH
ゆっくりひざを伸ばしていくが、最後に伸ばしきらないことが大切

注）3秒かけて上げ、3秒かけて下ろす

Chapter 2 ……… 筋肉をつけ体脂肪を落とす［クイック→スロー］トレーニング

[Quick→Slow] Training

[クイック→スロー]のトレーニングメニュー参考例

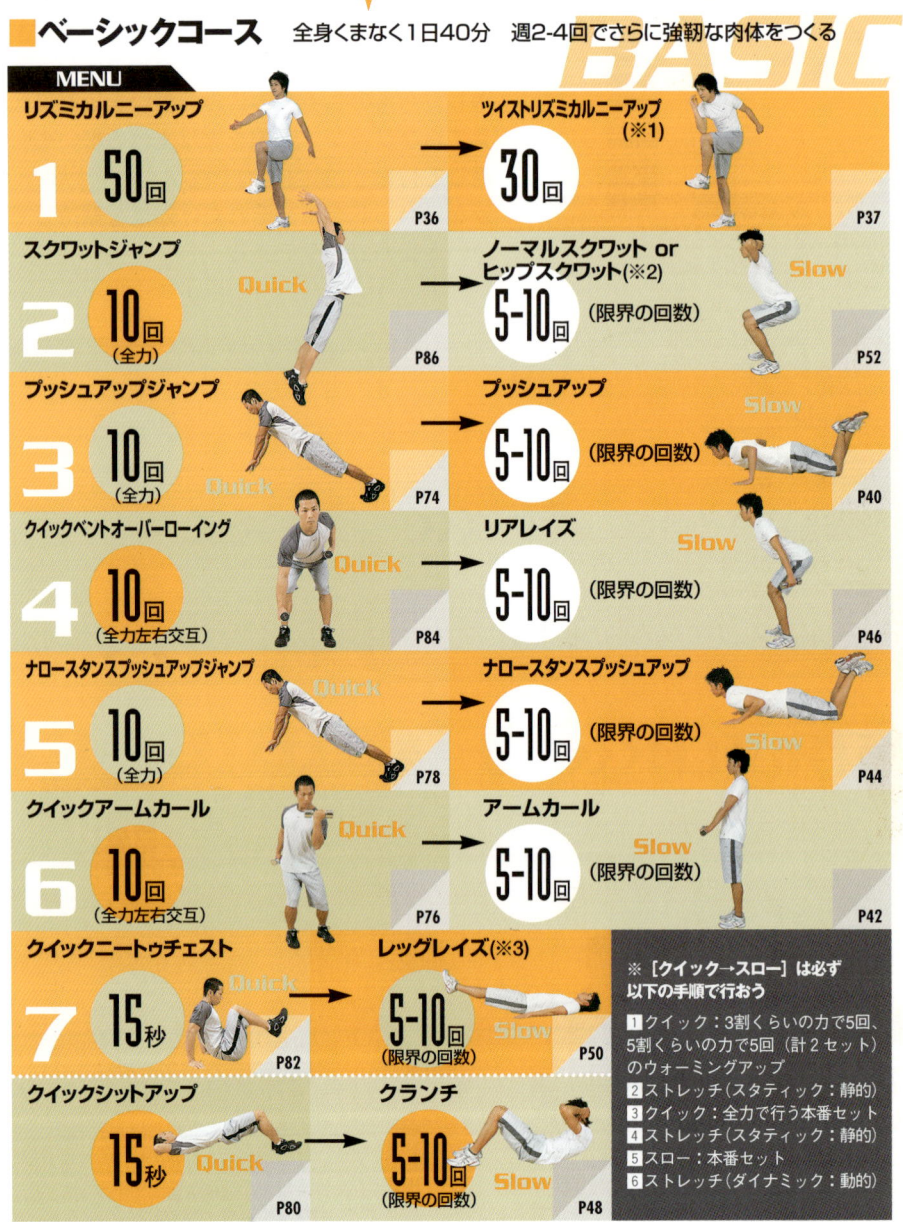

■ ベーシックコース　全身くまなく1日40分　週2-4回でさらに強靭な肉体をつくる

BASIC

MENU

1 リズミカルニーアップ **50回** (P36) → ツイストリズミカルニーアップ(※1) **30回** (P37)

2 スクワットジャンプ **10回**(全力) Quick (P86) → ノーマルスクワット or ヒップスクワット(※2) **5-10回** (限界の回数) Slow (P52)

3 プッシュアップジャンプ **10回**(全力) Quick (P74) → プッシュアップ **5-10回** (限界の回数) Slow (P40)

4 クイックベントオーバーローイング **10回**(全力左右交互) Quick (P84) → リアレイズ **5-10回** (限界の回数) Slow (P46)

5 ナロースタンスプッシュアップジャンプ **10回**(全力) Quick (P78) → ナロースタンスプッシュアップ **5-10回** (限界の回数) Slow (P44)

6 クイックアームカール **10回**(全力左右交互) Quick (P76) → アームカール **5-10回** (限界の回数) Slow (P42)

7 クイックニートゥチェスト **15秒** Quick (P82) → レッグレイズ(※3) **5-10回** (限界の回数) Slow (P50)

8 クイックシットアップ **15秒** Quick (P80) → クランチ **5-10回** (限界の回数) Slow (P48)

※[クイック→スロー]は必ず以下の手順で行おう
1. クイック：3割くらいの力で5回、5割くらいの力で5回（計2セット）のウォーミングアップ
2. ストレッチ（スタティック：静的）
3. クイック：全力で行う本番セット
4. ストレッチ（スタティック：静的）
5. スロー：本番セット
6. ストレッチ（ダイナミック：動的）

※1 トレーニング日ごとに、必ず両方行うようにする　※2 ヒップアップを重視したい場合はヒップスクワットを採用
※3 下腹を重視したい場合はクイックニートゥチェスト→レッグレイズを採用

ハーフタイムコース
毎日ちょっとずつやりたい人は1日10分　週4-6回

MENU A

1. リズミカルニーアップ — 50回　P36

2. スクワットジャンプ（全力）10回 Quick → **ノーマルスクワット or ヒップスクワット**（※1）Slow 5-10回（限界の回数）　P86 / P52

3. クイックベントオーバーローイング（全力左右交互）10回 Quick → **リアレイズ** Slow 5-10回（限界の回数）　P84 / P46

4. クイックシットアップ Quick 15秒 → **クランチ** Slow 5-10回（限界の回数）　P80 / P48

クイックニートゥチェスト Quick 15秒 → **レッグレイズ**（※2）Slow 5-10回（限界の回数）　P82 / P50

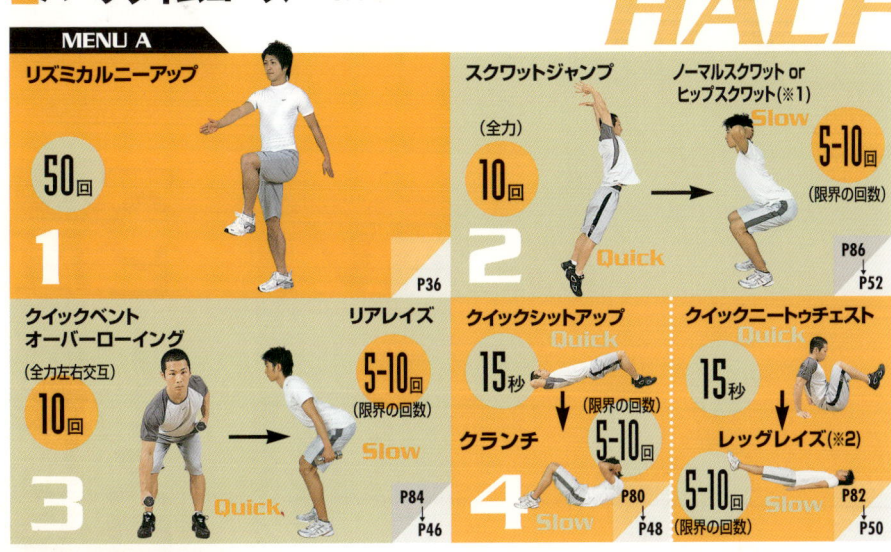

MENU B

1. ツイストリズミカルニーアップ — 30回　P37

2. プッシュアップジャンプ Quick 10回（全力）→ **プッシュアップ** Slow 5-10回 限界の回数　P74 / P40

3. ナロースタンスプッシュアップジャンプ Quick 10回（全力）→ **ナロースタンスプッシュアップ** Slow 5-10回 限界の回数　P78 / P44

4. クイックアームカール（全力左右交互）10回 Quick → **アームカール** Slow 5-10回 限界の回数　P76 / P42

※1 ヒップアップを重視したい場合はヒップスクワットを採用
※2 下腹を重視したい場合はクイックニートゥチェスト→レッグレイズを採用
※メニューAとメニューBをトレーニング日ごとに交互に行う

ハードコース
慣れてきたら2分割して2セットずつでさらにハードに1日20分　週4-6回

MENU A
リズミカルニーアップ 50回
以下ハーフタイムコースA（2〜4）を2セットずつ　P36

MENU B
ツイストリズミカルニーアップ 30回
以下ハーフタイムコースB（2〜4）を2セットずつ　P37

※2セットの場合、同じ種目を2セット続けて行い、次の種目に移る　※メニューAとメニューBを交互に行う　※スローははりきって3セットを行うより、集中して2セットで追い込み抜いたほうが効果的　※メニューの順序は上記のように大きな筋肉を使う種目から取り組むほうが、集中して最後まで行える

Chapter 2 ……筋肉をつけ体脂肪を落とす [クイック→スロー] トレーニング

SLOW
HEAVY

強度調整しやすいフリーウエイト系
[ヘビー→スロー]トレーニング

自重系以外なら8回程度反復できるウエイトが筋肉の肥大に最適となる

 自宅でも手軽にできるのが[クイック→スロー]トレーニングの長所だが、[クイック]は切り返しの瞬間しか負荷がかけられないため、ある程度の回数が必要となる。カラダに自信がつき、しかもジムに通ったり器具をそろえられたりできるようなら、フリーウエイトやマシンを使った[ヘビー→スロー]で、さらに筋肉が鍛えられる。[ヘビー]は切り返し動作をせず、ジワリと負荷を長時間かけ続けられ、強度の調整もしやすい。

 ただし、適当に負荷や強度を決めては大きな効果が期待できない。[ヘビー]トレーニングは、8回反復できる程度のウエイトで限界までこなそう。15回もできてしまうようでは、持久的能力は上がるが筋肥大の効果は大きくない。3～4回だとストレスはかかるが、筋肥大に必要な運動量が不足する。よって筋肥大を促すには8回程度が最適となる。ちなみに速筋を効率的に発達させるこの方法は8RM（アールエム）といい、RM（＝

RM	
1RM〜4RM	筋肥大に必要な運動量が不足
8RM	筋肥大にとって理想的
20RM	持久力は上がるが筋肥大の効果は小

　Repetition Maximum）とは最大反復回数のことで、筋肥大にはこの8RMが最適と実証されている。

　[ヘビー]の8回はあくまでも目安でかまわない。6回や10回でもそれが自分の限界なら効果はあるのだ。必ず「これ以上できない」と思えるまで行い、できた回数でウエイト（ウエイト設定はP93参照）を再調節すればいい。

　動作の速度は1秒で上げて2秒かけて下ろす程度がいい。[クイック]のように勢いはつけずに少しゆっくり動作し、じっくり動かす感覚が効果を生む。下ろす（戻す）動作をゆっくり行えば、エキセントリック収縮によって筋にダメージを与えられるので、さらに効果的なトレーニングになるのだ。

　ここでは、バーベルなどのフリーウェイトを用いた場合と、専用のマシンを用いた場合の両方を紹介する。

適正な負荷がわかる チェックシート

筋肥大に最適な「8RM」を見つけるウエイト換算表。最適な重量を知ってトレーニングの効率化を図ろう

この換算表で実質的に必要な情報は、タテ軸1行目の数値。2行目以降は1列目に1行目の比率をかけたものになる。では、具体的に8RMを探してみよう。
下記の手順で、実際にやってみるとすぐにわかるはずだ。ただし、体力や筋力の差、トレーニングの部位や種目、その人のトレーニング経験度などによってある程度の誤差は生じる。あくまで「目安」として活用してほしい。

1 8回くらいの反復で自分の限界に達しそうな重量を選択し、正しいフォームで何回くり返せるか試してみる。

2 該当する回数と重量を換算表で探し、その行の左端（1RM）を求める。

> たとえば60kgのウエイトを用いたベンチプレスで10回が限界だったら、10回の欄を下にたどって60kgに当たるところの左端を見ると、80kgと記してある。つまり、1RM（1回しか反復できない重さ＝最大負荷）は80kgとなる。

3 1RMが80kgの8RMは64kgとあるので、64kgでのトレーニングがその人の8RMの重量とわかる。

RM換算表

最大挙上重量(kg)	1回(RM)	2回(RM)	3回(RM)	4回(RM)	5回(RM)	6回(RM)	7回(RM)	8回(RM)	9回(RM)	10回(RM)	12回(RM)
	100%	95%	93%	90%	88%	85%	83%	80%	78%	75%	70%
100	100	95.0	92.5	90.0	87.5	85.0	82.5	80.0	77.5	75.0	70.0
95	95	90.3	87.9	85.5	83.1	80.8	78.4	76.0	73.6	71.3	66.5
90	90	85.5	83.3	81.0	78.8	76.5	74.3	72.0	69.8	67.5	63.0
85	85	80.8	78.6	76.5	74.4	72.3	70.1	68.0	65.9	63.8	59.5
80	80	76.0	74.0	72.0	70.0	68.0	66.0	64.0	62.0	60.0	56.0
75	75	71.3	69.4	67.5	65.6	63.8	61.9	60.0	58.1	56.3	52.5
70	70	66.5	64.8	63.0	61.3	59.5	57.8	56.0	54.3	52.5	49.0
65	65	61.8	60.1	58.5	56.9	55.3	53.6	52.0	50.4	48.8	45.5
60	60	57.0	55.5	54.0	52.5	51.0	49.5	48.0	46.5	45.0	42.0
55	55	52.3	50.9	49.5	48.1	46.8	45.4	44.0	42.6	41.3	38.5
50	50	47.5	46.3	45.0	43.8	42.5	41.3	40.0	38.8	37.5	35.0
45	45	42.8	41.6	40.5	39.4	38.3	37.1	36.0	34.9	33.8	31.5
40	40	38.0	37.0	36.0	35.0	34.0	33.0	32.0	31.0	30.0	28.0
35	35	33.3	32.4	31.5	30.6	29.8	28.9	28.0	27.1	26.3	24.5
30	30	28.5	27.8	27.0	26.3	25.5	24.8	24.0	23.3	22.5	21.0
25	25	23.8	23.1	22.5	21.9	21.3	20.6	20.0	19.4	18.8	17.5
20	20	19.0	18.5	18.0	17.5	17.0	16.5	16.0	15.5	15.0	14.0
15	15	14.3	13.9	13.5	13.1	12.8	12.4	12.0	11.6	11.3	10.5
10	10	9.5	9.3	9.0	8.8	8.5	8.3	8.0	7.8	7.5	7.0

※100kg以上であっても、同様に比率をかければRMは算出できる

Chapter 2 ……筋肉をつけ体脂肪を落とす[クイック→スロー]トレーニング

HEAVY-1

ベンチプレス

上半身を鍛える王道

8 回
Free Weight

注）2秒で下ろし、1秒で上げる

1

HEAVY

START
手の間隔は肩幅の1.5倍強。バーが胸に触れるところまで下ろしきる。ただし胸に乗せて休んだりしてしまうのは禁物

肩が前に出ると肩、腕の筋肉で上げてしまいがちになる

2

HEAVY

FINISH
胸を張った姿勢でバーを垂直に持ち上げる。腕を伸ばすというよりひじを押し出すイメージだと胸をうまく使える

胸に効く

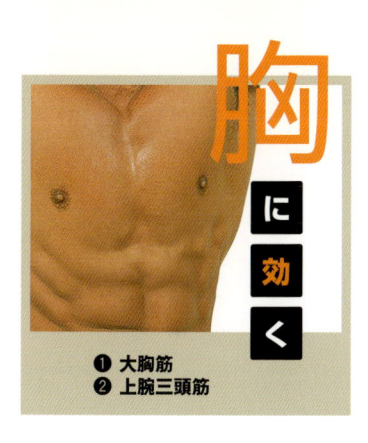

① 大胸筋
② 上腕三頭筋

ひじを押し出す感覚で胸の力でバーベルを押し出す

しっかりと胸を張り、肩を前に出さずに後ろに引いて固定し、ひじを押し出す。肩を前に出すと胸の筋肉を使いにくく、肩を痛める原因にもなるので要注意。また腰も痛める可能性があるので、自分の体重くらいのウエイトを扱うようになったら、腰をサポートするトレーニングベルトを巻くようにしよう。

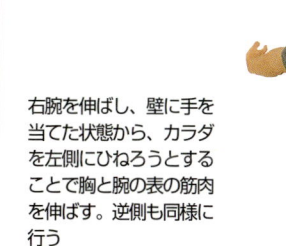

Machine／マシンプレス 8回

1 START
肩を出さないように注意。しっかり引いておこう。胸を張った状態をキープ

POINT
ひじが下がると大胸筋を使いにくい

2 FINISH
肩が前に出ないように注意しながら、胸を張ってひじを押し出すようにする

POINT
肩を出すと胸の筋肉を使いにくい

HEAVY

SLOW Training

ウエイトを［ヘビー］の50〜60％に落として、［スロー］のテンポで、「ノンロックスロー法」で行う。ひじを伸ばしきらないように注意

5〜10回 限界まで

STRETCH After

右腕を伸ばし、壁に手を当てた状態から、カラダを左側にひねろうとすることで胸と腕の表の筋肉を伸ばす。逆側も同様に行う

Chapter 2 ……筋肉をつけ体脂肪を落とす［クイック→スロー］トレーニング

HEAVY-2

ダンベルカール

腕の力だけを使って

8 回

Free Weight

注）1秒で上げて、2秒で下ろす

HEAVY

FINISH
腕を内側にカールさせながら、反動を使わずに持ち上げよう。ひじを最後までしっかりと曲げきるようにする

1

2

START
ダンベルどうしの向きはパラレル（平行）。スタンスを肩幅よりやや広めにし、胸を張ってまっすぐな姿勢をとる

ひざや上体の反動を使うと、腕の筋肉に負荷が持続的にかからない

腕に効く

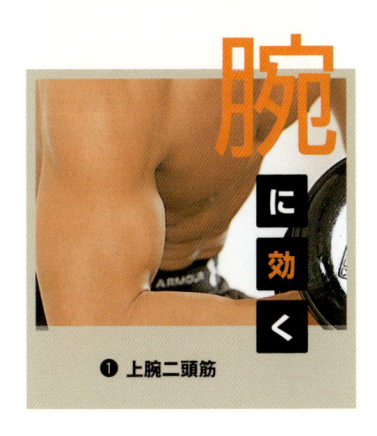

❶ 上腕二頭筋

ひじの位置を固定して、反動を使わず動作する

ひじのポジションをある程度固定し、そこを中心に動作しよう。[クイック]とはトレーニングの種類が違うので、ひざや上体の反動などを使わないように注意して、二の腕の力だけでウエイトを上げ下げするようにする。腕を力強く演出する、力こぶを効果的に刺激できるトレーニングだ。

Machine／マシンカール　8回

VARIATION

START
マシンからやや離れて行うのがポイント。バーは逆手に持つ

FINISH
ひじの位置を固定しておいて、ひじを曲げる

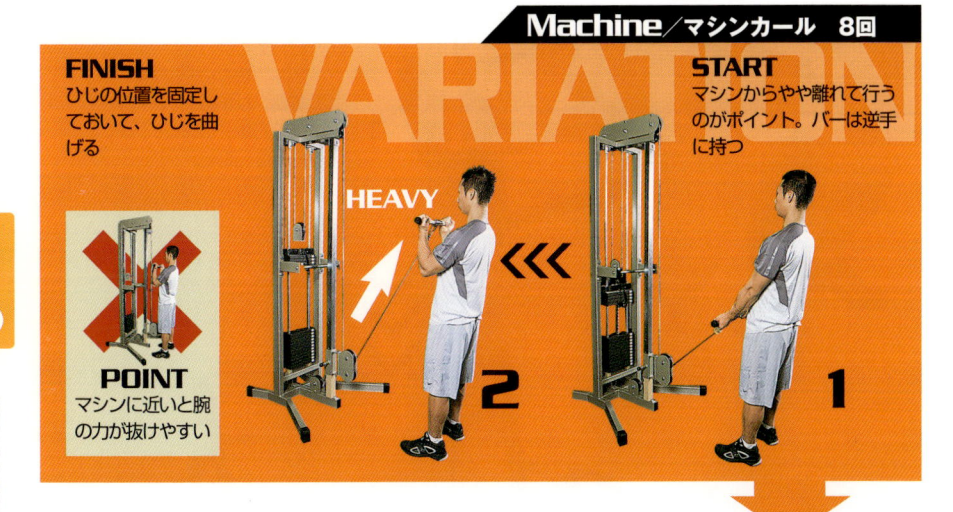

HEAVY

POINT
マシンに近いと腕の力が抜けやすい

SLOW Training

ウエイトを[ヘビー]の50〜60%に落として、[スロー]のテンポで、「ノンロックスロー法」で行う。ひじを伸ばしきったり曲げきったりしないよう注意

5〜10回 限界まで

STRETCH　After

右腕を伸ばし、壁に手を当てた状態から、カラダを左側にひねろうとすることで胸と腕の表の筋肉を伸ばす。逆側も同様に行う

Chapter 2 ……筋肉をつけ体脂肪を落とす[クイック→スロー]トレーニング

[Quick→Slow] Training

HEAVY-3

**ナロースタンス
ベンチプレス**

手幅を狭くして

8回

Free Weight

注）1秒で上げて、2秒で下ろす

1

HEAVY

START
両手の間隔を肩幅程度に狭く設定。わきを締めて、胸の上側に向かってバーを下げてくるようにする

HEAVY

2

FINISH
胸を張った状態で、ひじを伸ばす力でバーをまっすぐ押し上げる

手幅が狭すぎると手首を痛めやすい。肩幅程度で十分

腕に効く

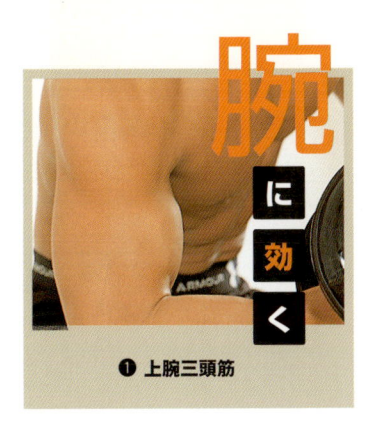

① 上腕三頭筋

手幅を肩幅程度に狭めることで二の腕の裏を効果的に刺激できる

通常のベンチプレスはおもに胸に効くが、手幅の間隔を狭めてナロースタンスにすることで、二の腕の裏に、より負荷をかけ鍛えられる。ただし、手の間隔が狭すぎるとバランスを崩しやすく、手首を痛めかねないので注意すること。手幅は肩幅程度が理想。

Machine／ケーブルプレスダウン 8回

2 FINISH ひじを固定した状態で、伸ばしきる

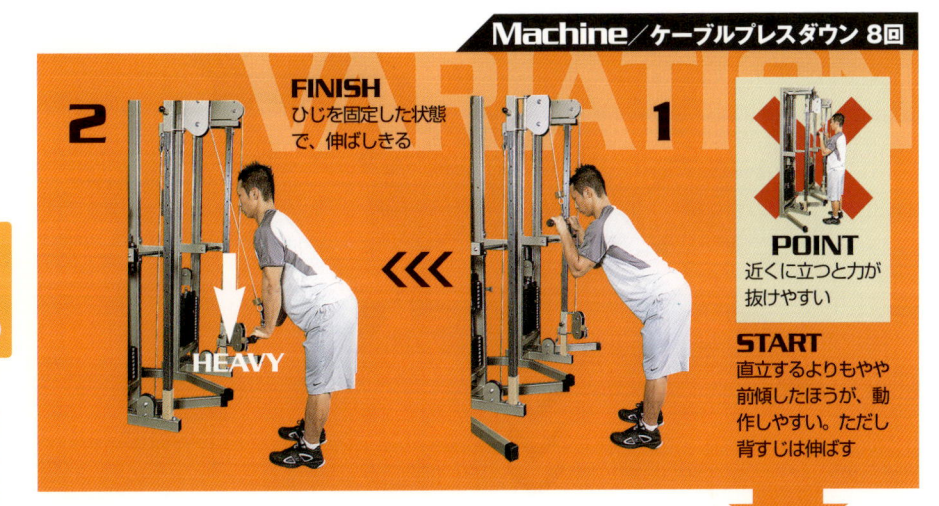

HEAVY

1

POINT 近くに立つと力が抜けやすい

START 直立するよりもやや前傾したほうが、動作しやすい。ただし背すじは伸ばす

SLOW Training

ウエイトを［ヘビー］の50〜60％に落とす。［スロー］のテンポで、ひじを伸ばしきらないように注意。ケーブルプレスダウンは［ヘビー］と同じフォームで行う

5〜10回 限界まで

STREEETCH After

頭の後ろに両手をおき、そこで右手で左ひじをジワジワと下方に引く。左右行う

Chapter 2 ……筋肉をつけ体脂肪を落とす［クイック→スロー］トレーニング

[Quick→Slow] Training

HEAVY-4

レジストクランチ

プレートを持ちながら

8 回

Free Weight

注）1秒で上げて、2秒で下ろす

1

START
頭の後ろにプレートを持って行う腹筋トレーニング。腹筋台を使い、足を固定して行う

頭を上げ下げするだけでは動きが小さすぎ、効果も少ない

2

HEAVY

FINISH
みぞおちを中心に、上体を首から思いきり丸めこんでいく。一気に起き上がるのではなく首側から徐々に丸めこもう

(100)

腹に効く

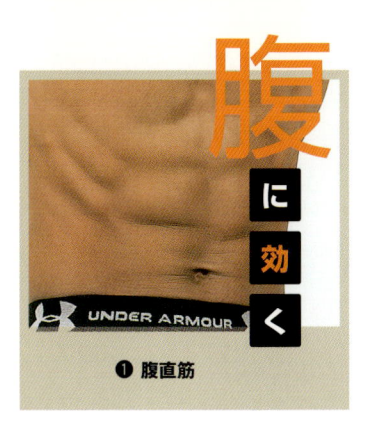

❶ 腹直筋

みぞおちを中心に、上体を丸めこむようにする

　みぞおちを中心に、上体を首からへそに向けて丸めこむイメージ。首を上下させるだけでは可動範囲が狭すぎて、十分な負荷をかけられない。また、背すじを伸ばしたまま上げ下げしてしまうのもNG。別の筋肉も使うので、これでは負荷を腹筋だけにかけられなくなるのだ。

VARIATION

Machine／マシンクランチ 8回

POINT 股関節を中心に上下するのではない

HEAVY

1 START 背すじを伸ばして用意。ロープを首のところで握り、ウエイトを少し持ち上げる

2 FINISH みぞおちを中心にし、上体を思いきり丸めこんでいくようにする

SLOW Training

ウエイトを [ヘビー] の50〜60％に落として、[スロー] のテンポで、「ノンロックスロー法」で行う。レジストクランチは頭を床につけないように。マシンクランチは上体を起こしきらないように注意

5〜10回 限界まで

STRETCH After

うつ伏せの姿勢から両腕で上体を起こしていき、腹筋をジワジワと伸ばすようにする。腰を床に強く押しつけるようにすると、しっかり伸ばせる

Chapter 2 筋肉をつけ体脂肪を落とす [クイック→スロー] トレーニング

HEAVY-5

ラットプルダウン

胸を張り背すじを伸ばして

8回

Free Weight

注）1秒で下げて、2秒で上げる

HEAVY

2 FINISH
胸を張り、背中を反りぎみにすると背中の筋肉を使いやすい。バーをしっかりと胸のところまで引き寄せよう

1 START
手幅は肩幅の1.5倍強。背中を丸めないよう、しっかりと胸を張った状態からスタートする

背に効く

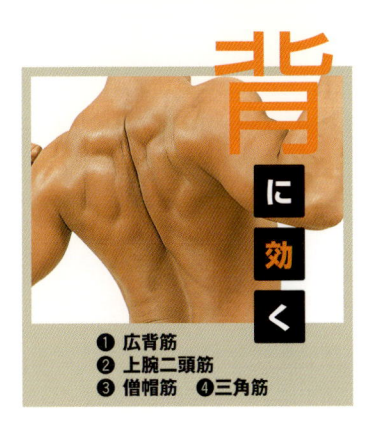

背中で引く感覚が大切
胸を張って背すじを伸ばす

① 広背筋
② 上腕二頭筋
③ 僧帽筋
④ 三角筋

　胸を張って背すじを伸ばすと、背中でウエイトを引くイメージがつかみやすいだろう。背中を丸めてしまうと、腕で引く動作になりやすいので、背中は鍛えられない。初心者が間違えやすい動作なので注意しよう。ひじを曲げるのではなく、ひじを下方に引く感覚で行うと、背中にうまく効かせられる。

Machine／ローイングマシン　8回

VARIATION 2

START
パットに胸を当て、ボードの足を踏ん張って体勢を固定する

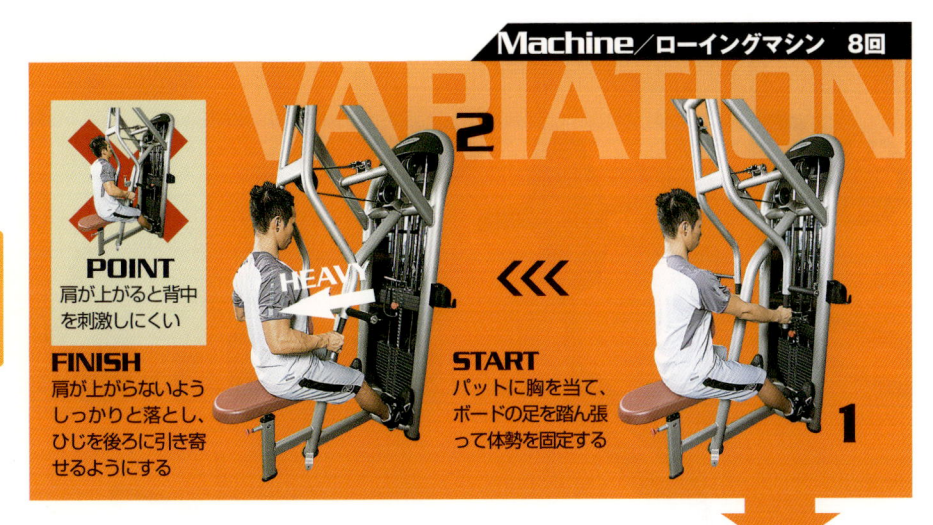

FINISH
肩が上がらないようしっかりと落とし、ひじを後ろに引き寄せるようにする

POINT
肩が上がると背中を刺激しにくい

HEAVY

STRETCH　After

手を組み、手のひらを床に向けて前屈。カラダを倒すというより、手を床に向けて押し出していくようにする。背中を丸めてしっかりと引き伸ばすようにする

SLOW Training

ウエイトを［ヘビー］の50〜60％に落として、［スロー］のテンポで、「ノンロックスロー法」で行う。力を抜いて休んでしまう箇所をつくらないようにすることが極めて重要

5〜10回 限界まで

Chapter 2 ……筋肉をつけ体脂肪を落とす［クイック→スロー］トレーニング

HEAVY-6

スクワット

脚に効かせるように

8 回

Free Weight

注）2秒で下ろし、1秒で上げる

2 胸を張ってお尻を突き出し、ひざを伸ばしきるまで、しっかり立ち上がるようにする

FINISH

HEAVY

直立からしゃがもうとするとひざを痛めやすい

1

START

つま先はやや外向き、スタンスは肩幅強。上体を少し前傾させながら、太ももが床と平行になる程度にしゃがみこむ

HEAVY

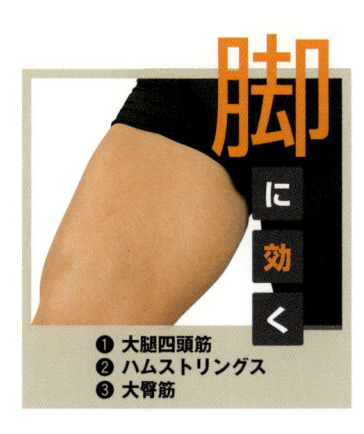

脚に効く

① 大腿四頭筋
② ハムストリングス
③ 大臀筋

筋肉に効かせられる範囲で、十分大きく動作する

　しっかりとしゃがみこんで大きく動作すると、筋肉を十分に刺激して鍛えられる。たとえばスクワットなら、太ももの部分が地面と平行になるくらいまでしっかりとしゃがみこむようにする。筋肉に「効かせられる」範囲で大きく動作することが、トレーニング効果を高めるのにとても大切なポイントだ。

Machine／マシンレッグプレス　8回

FINISH
ひざをしっかりと伸ばしきってフィニッシュ。上体が前のめりにならないようにしよう

POINT
内またになると靭帯などをケガしやすい

HEAVY

START
ひざの向きとつま先の向きをそろえておく。ひざが内や外を向いてしまわないように

STRETCH　After

片脚立ちとなり、お尻のところでつま先をつかんで、上に引っ張るようにすることで太もも前面をストレッチ（写真右）。太もも裏面はひざを軽く曲げ前屈してストレッチ（写真左）

SLOW Training

ウエイトを[ヘビー]の50～60％に落とし、[スロー]のテンポで「ノンロックスロー法」で行う。ひざを伸ばしきらないよう注意する

5～10回 限界まで

Chapter 2　筋肉をつけ体脂肪を落とす[クイック→スロー]トレーニング

MUST REST

「超回復」サイクルを知って理想のカラダをつくろう

週に2〜3回、1日か2日おきのトレーニングでもカラダを順調に鍛えられスムーズに痩せられる

トレーニングは一般に、「超回復」を利用すると効果的といわれている。疲労したカラダが運動前以上に回復し強くなった（超回復した）タイミングで再びトレーニングすれば、右肩上がりの成長が可能となるのだ。

これをトレーニングのサイクルに利用し、くり返していくのが理想的といえる。ちなみに、毎日楽にできてしまうようなトレーニングでは、超回復を生むには強度が不足しているといえる。正しい強度なら、毎日行うと日に日に回数や重量が落ちていくものである。適切な負荷でトレーニングし、そこから上手に超回復するには、頻度は中2日くらい空けるのが目安で、週に2〜3回程度のペースになる。

「やる気が出ない」「疲労が残っている」「記録が伸びない」なら体力レ

超回復とオーバートレーニング

超回復

トレーニング／トレーニング／トレーニング／時間
ストレス／回復／超回復
筋力アップ

オーバートレーニング

トレーニング／トレーニング／トレーニング／トレーニング／トレーニング／時間
筋力ダウン

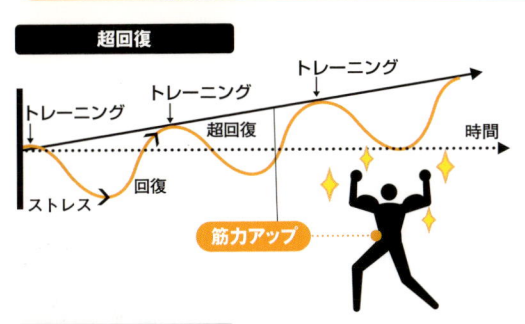

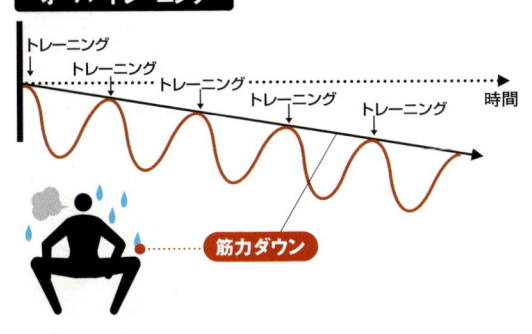

トレーニングによって筋肉の機能が一度落ちてから回復し、その回復が元のレベルを少し超えたところで次のトレーニングをするのが超回復の理想。逆に、回復前にトレーニングをすると、カラダの回復が追いつかなくなって筋力が下がり、オーバートレーニングになる。左のグラフは、筋肉の発達にはトレーニングの頻度を上げることも大切だが、回復の時間も必要なことを概念的に示したものである。

このサイクルから少しでも外れるとトレーニング効果がなくなるわけではなく、あくまで目安とし、頑張りすぎず、休みすぎずが大切。本書で紹介するトレーニングメニューもカラダの回復具合と相談し、内容を自分なりにアレンジしていくのがポイント。回復が追いつかないようなら頻度を下げ、その逆なら頻度を上げてやってみよう。

ベルが落ちており、このタイミングでは回復が不十分でオーバートレーニングの状態に陥ってしまう危険性があると考えよう。これは回復が追いつかないほど筋肉にストレスがかかり続けている状態なので、筋肥大どころかボロボロに小さくなってしまうのだ。

ただし、脚のトレーニングの翌日に腕のトレーニングをするといった具合に部位を替えるなら、頻度を高めても問題ない。また［スロー］は、筋肉へのダメージが小さく回復が早まるため、目安を中1日、週3〜4回としてかまわない。疲れがたまっているときなどは、回復に必要な時間が短い［スロー］だけにしてもいい。自分で立てたメニューに忠実になりすぎずに、カラダと相談しながら適度に調整することが、理想の超回復を実現させるポイントのひとつだ。

GOOD CYCLE

筋肉痛の引き具合を知って、トレーニングに有効活用しよう

筋肉痛が治まったところでのトレーニングが超回復のサイクルをうまく利用できるタイミング

筋肉の疲労回復に合わせてトレーニング頻度を決める、といっても実際どの程度回復しているかを知るのは、なかなか難しい。目安は中2日だが、体調や気分によっても疲労の感じ方は変わるだろうし、このサイクルは個人差が大きいものでもある。そこで、わかりやすい目安が筋肉痛の程度。筋肉痛は、筋のダメージによる「炎症」なので、この引き具合が回復の目安になる。筋肉痛が治まったらトレーニングを再開するというのは、じつに理にかなった方法。

超回復の期間は、一般に48〜72時間ほどとされる。これは程度にもよるが、一連の炎症反応がおよそ終了するまでの時間と筋肉痛が治まるまでの時間は、だいたい一致している。ウェイトトレーニングの頻度は、「中2日ほど休息を入れて週に2回ほど行うのがよい」と一般的にいわれるのはこのためだ。また翌日の筋肉痛の程度は、トレーニングが十分にできたか

筋肉の超回復(上昇)に筋の微細な損傷(低下)は、必ずしも要らない!?

　超回復の概念図(P109)から筋肥大を考えようとすると、機能が一度低下してから上昇する形なので、筋肉が超回復(上昇)するには、筋肉の損傷(低下)が不可欠なように思える。そのため、筋肥大には筋肉にキズをつけることが絶対に必要、と解釈し「筋トレとは筋肉に損傷を起こさせること」というのは、少しいいすぎで正しくない。

　筋肥大にはいくつかの要素があり、それらが互いに絡み合っている。筋の微細な損傷は筋肥大の重要な要素のひとつであることは事実だが、絶対に必要というわけではないのだ。

　たとえば、自転車競技や水泳の選手の筋肉は肥大しているが、自転車こぎや水泳では、筋肉にダメージを与えるエキセントリック収縮をほとんど行わない。つまり[スロー]でも筋肉へのダメージは小さいが、別のストレスによって確実に十分な筋肥大を起こせるのだ。

We ride on a bicycle!
Go to everywhere everyday

筋を微細にキズつけるだけが筋肥大の絶対条件ではない

どうかの判断にも使える。トレーニングの内容評価やその頻度を決める指標として、有効活用できるのだ。トレーニングを続けていくと、今までのメニューでは筋肉痛にならなくなっていくだろう。これはまさに成長の証。次回からはややきつめのトレーニングにレベルアップしよう。

［ヘビー→スロー］のトレーニングメニュー参考例

ベーシックコース　全身くまなく1日40分　週2-4回でさらに強靭な肉体をつくる

MENU

1 リズミカルニーアップ **50回** → ツイストリズミカルニーアップ（※1）**30回**　P36 / P37

2 スクワット **8RM** OR マシンレッグプレス → **Slow**　P104

3 ベンチプレス **8RM** OR マシンプレス → **Slow**　P94

4 ラットプルダウン **8RM** OR ローイングマシン → **Slow**　P102

5 ナロースタンスベンチプレス **8RM** OR ケーブルプレスダウン → **Slow**　P98

6 ダンベルカール **8RM** OR マシンカール → **Slow**　P96

7 レジストクランチ **8RM** OR マシンクランチ → **Slow**（自重）　P100

［ヘビー→スロー］は必ず以下の手順で行う

1. ヘビー：本番セットの5割くらいの重さで5回、7割くらいの力で5回（計2セット）のウォーミングアップ
2. ストレッチ（スタティック：静的）
3. ヘビー：本番セット　8RM：8回くらいが限界の重さで8回くらい
4. ストレッチ（スタティック：静的）
5. スロー：本番セット　8RMの60％の重量で8回くらい
6. ストレッチ（ダイナミック：動的）

※スローはヘビーと同じ種目を、60％の重量にしてスローのスピード（3秒上げ3秒下げ1秒止め）で8回程度、限界の回数を行う（60％は目安。スローで8回できるくらいの重さを選択する）
※ヘビーもスローも限界の回数まで反復するのが効果的

※1　トレーニング日ごとに必ず両方行う

■ハーフタイムコース　毎日ちょっとずつやりたい人は1日20分　週4-6回

HALF

MENU A

1. リズミカルニーアップ　50回　P36
2. スクワット　8RM　OR　マシンレッグプレス　Slow　P104
3. ラットプルダウン　8RM　OR　ローイングマシン　Slow　P102
4. レジストクランチ　8RM　OR　マシンクランチ　Slow　自重　P100

MENU B

1. ツイストリズミカルニーアップ　30回　P37
2. ベンチプレス　8RM　OR　マシンプレス　Slow　P94
3. ナロースタンスベンチプレス　8RM　OR　ケーブルプレスダウン　Slow　P98
4. ダンベルカール　8RM　OR　マシンカール　Slow　P96

※メニューAとメニューBをトレーニング日ごとに交互に行う

■ハードコース　慣れてきたら2分割2セットずつ、さらにハードに1日15分　週4-6回

HARD

MENU A
リズミカルニーアップ　50回
以下ハーフタイムコース A(2～4)を2セットずつ　P36

MENU B
ツイストリズミカルニーアップ　30回
以下ハーフタイムコース B(2～4)を2セットずつ　P37

※2セットずつ行う順序は、同じ種目を2セット続けて行い、次の種目に移る
※メニューAとメニューBを交互に行う　※スローで集中力が保てるのは各種目2セットまで。はりきって3セットを行うよりも、集中して2セットで追い込み抜いたほうが効果的
※メニューの順序は入れ替えても構わないが、上記のように大きな筋肉を使う種目から取り組むほうが、集中して最後まで行える

Chapter 2　筋肉をつけ体脂肪を落とす［クイック→スロー］トレーニング

[Quick→Slow] Training

column 2

正しい姿勢がよいスタイルを生む

　運動不足な現代人は、正しい姿勢を維持するだけの筋力がないため、脊椎（背骨）の湾曲の力だけで上半身の体重を支えるような人も珍しくない。

　本来の正しい姿勢は、脊椎が滑らかなS字カーブを描き、それを腹・背筋群が前後から支える形だ。しかし、姿勢の悪い人は腹・背筋群を含むお腹まわりの筋肉の力をほとんど使わず、背骨を前後どちらかに大きくカーブさせることで姿勢を維持している。背中を丸めた後ろカーブが猫背、お腹を突き出した前カーブが出っ腹。お腹まわりの筋肉の活動が少ないから、その周辺の循環と代謝が下がり、脂肪がつきやすくなると考えられる。

　また、脊椎にかかる力が過大になるため腰痛を招いたり、内臓を支えられずに下垂して便秘症を引き起こしたりすることも。さらには血管や神経を圧迫して、冷え性や神経障害を招く危険性もはらんでいるのだ。

　本書で紹介する［スロー］［クイック］両トレーニングは、姿勢を維持するための腹・背筋群をしっかりと鍛えられる。正しい姿勢を保てるようになるので、見た目にスタイリッシュになる。

　なお、一般に腰痛体操と紹介されているものが、たいてい腹・背筋群を鍛える筋トレであることを考えると、［スロー］［クイック］ともに腰痛体操の要素も含んでいるといえる。

■出っ腹の人へのアドバイス
　一見胸を張っていてよい姿勢に見えるが、それは背骨の湾曲に頼った悪い姿勢で、上記のさまざまな問題を引き起こす。お尻をキュッと締めることを意識すれば骨盤が後傾し、正しい姿勢がとれるようになる。あとはその姿勢を保てる筋力をつければいい

■猫背の人へのアドバイス
　胸を張ることを意識すると骨盤が前傾し、正しい姿勢になれる。あとはその姿勢を保てる筋力をつけるようにすればいい

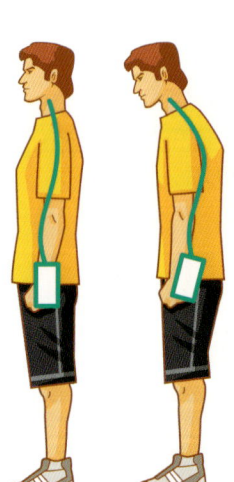

出っ腹　　正しい姿勢　　猫背
（骨盤前傾）　　　　　　（骨盤後傾）

chapter 3

自由自在にカラダをつくる！
部位別ピンポイントトレーニング
PINPOINT

力強く、見た目にもシャープな筋肉がつくしくみ

部位を絞って集中的にトレーニングすることで
なりたいカラダに変身できる

「クイック→スロー」で、ある程度体形が整ってきたら、「逆三角形のシルエットになりたい」「ウエストをくびれさせたい」など、目標設定がさらに絞りこめるだろう。この章では、カラダを部分的に鍛えて理想のカラダに近づける、ピンポイントで鍛える部位別トレーニングを紹介する。

たとえば、逆三角形のシルエットになりたいなら、肩まわりの三角筋および背中にある大きな広背筋を、ウエストをくびれさせたければわき腹の外・内腹斜筋を徹底的にトレーニングすればいいわけだ。筋肉がつくことで基礎代謝も上がり脂肪がどんどん燃やされ、相乗効果も得られる。

ほかにも、「キュッと上がったお尻」「引き締まった太もも・ふくらはぎ」など、速筋を部分的に鍛えることで、スタイルを大幅に改善できる。

さらに「スポーツが得意になるカラダの使い方」をマスターすることで、見た目だけではなく、機能的に優れたカラダをつくっていこう。

The mechanism which makes sharp and powerful muscled externals.

Chapter 3 ……自由自在にカラダをつくる！ 部位別ピンポイントトレーニング

[Quick→Slow] Training

よくわかる！筋肉マップ2

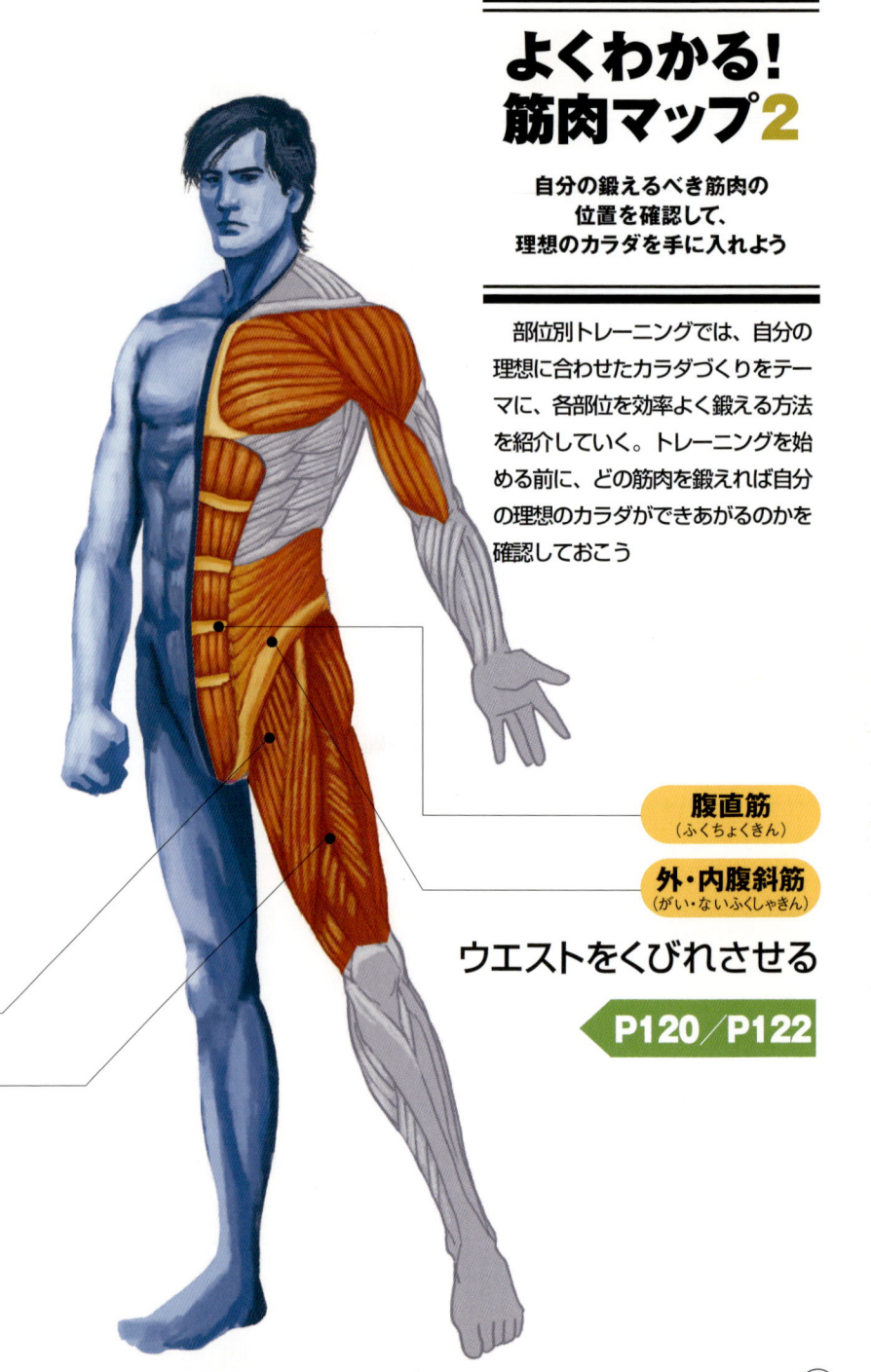

自分の鍛えるべき筋肉の
位置を確認して、
理想のカラダを手に入れよう

部位別トレーニングでは、自分の理想に合わせたカラダづくりをテーマに、各部位を効率よく鍛える方法を紹介していく。トレーニングを始める前に、どの筋肉を鍛えれば自分の理想のカラダができあがるのかを確認しておこう

腹直筋
（ふくちょくきん）

外・内腹斜筋
（がい・ないふくしゃきん）

ウエストをくびれさせる

◀ P120／P122

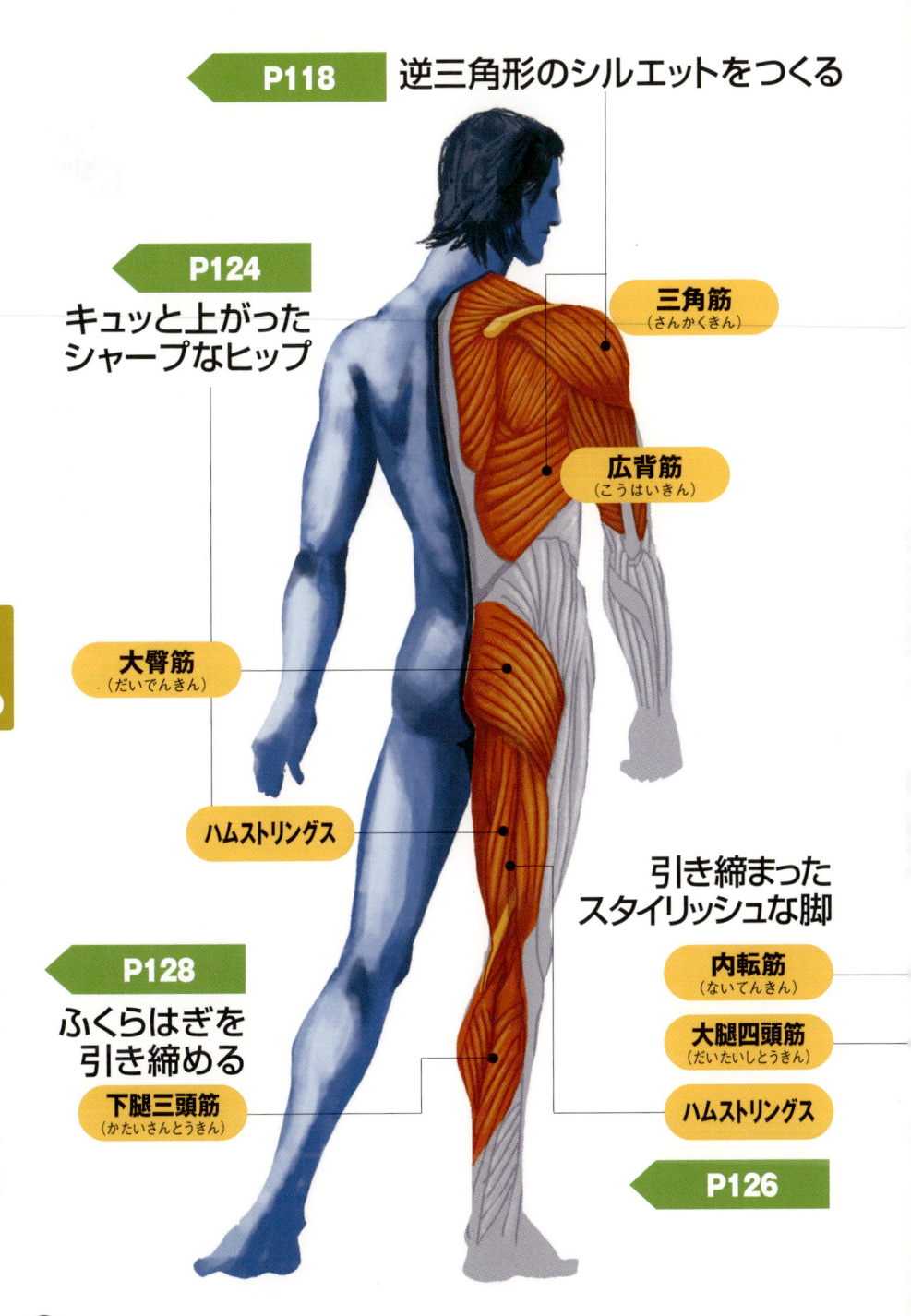

P118 逆三角形のシルエットをつくる

三角筋
（さんかくきん）

広背筋
（こうはいきん）

P124 キュッと上がった
シャープなヒップ

大臀筋
（だいでんきん）

ハムストリングス

引き締まった
スタイリッシュな脚

内転筋
（ないてんきん）

大腿四頭筋
（だいたいしとうきん）

ハムストリングス

P126

P128 ふくらはぎを
引き締める

下腿三頭筋
（かたいさんとうきん）

Chapter 3 ……自由自在にカラダをつくる！部位別ピンポイントトレーニング

逆三角形をつくる
広い肩幅を手に入れる

逆三角形のシルエットをつくるには、肩と背中の筋肉を大きくし、ウエストを絞るといい。魅惑の広い背中をつくり上げよう

逆三角形のシルエットをつくるには、肩（三角筋）の筋肉を肥大させてやるといい。肩は、ダンベルをカラダの横で上げ下げするサイドレイズが効果的。[クイック]はダンベルをカラダの横で上げ下げするスピーディーに行うのがポイント。[スロー]はダンベルを下ろすとき下ろしきらないようにし、筋肉に力を入れ続ける。

また逆三角形の体形をつくるには、肩の筋肉を大きくするだけでなく、同時に背中の筋肉を鍛えることも重要となる。P115のようなV字の広い背中は、広背筋を大きくすることで得られるのだ。広背筋を大きくするには、P84の[クイック→スロー]やP102の[ヘビー→スロー]の種目を、このメニューに1セット程度追加するといいだろう。

Quick-1

クイックサイドレイズ

全速力で上げ下げする

10回

Quick Training

注）30％の力で5回、50％の力で5回、ストレッチをしてから行う

2 FINISH
ダンベルを左右対称に跳ね上げる

Quick / Quick

1 START
ひざを伸ばす勢いを利用して、できるだけ高速でダンベルを跳ね上げる

SLOW-1

Slow Training
サイドレイズ

ゆっくり上げ下げする

5〜10回

注）3秒かけて上げ、3秒かけて下ろす

2 FINISH
ダンベルをゆっくり左右対称に持ち上げ、肩のラインより高いところでフィニッシュする

SLOW / SLOW

1 START
両手に持ったダンベルをカラダから離し、少し持ち上げたところからスタート。完全に下ろしきらないようにする

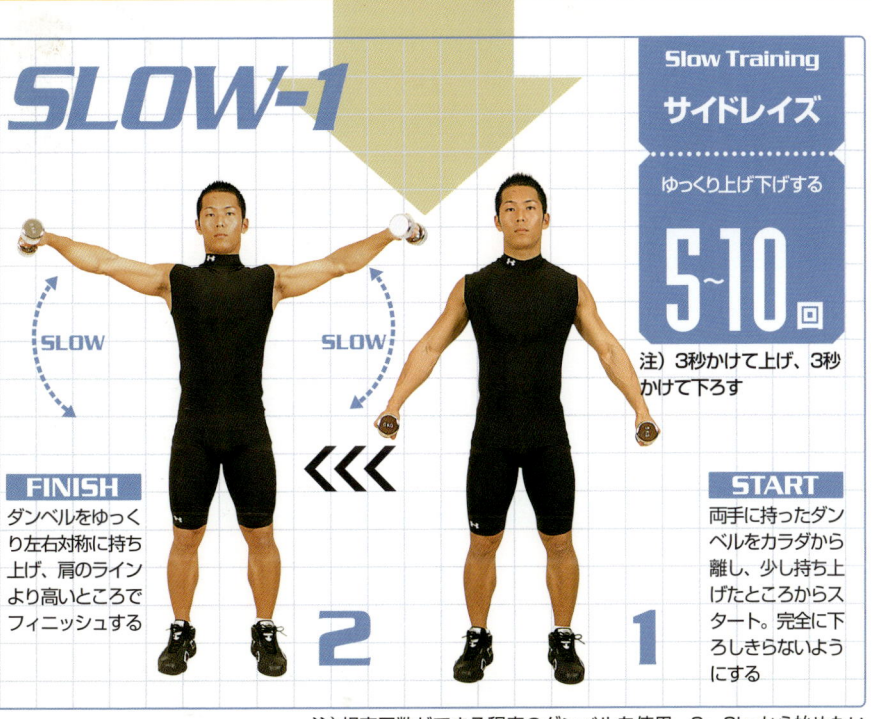

注）規定回数ができる程度のダンベルを使用。2〜3kgから始めたい

Chapter 3 ……自由自在にカラダをつくる！部位別ピンポイントトレーニング

[Quick→Slow] Training

引き締まったウエストと割れた腹筋をつくる

ウエストをくびれさせるには、わき腹も重要。
お腹とわき腹の筋肉を鍛えることでキュッと締まった、
またカチッと割れた腹筋をつくりだせる

　ウエストのくびれをつくるには、お腹（腹直筋）やわき腹（外・内腹斜筋）を鍛えて引き締めるのが効果的。ツイストクランチという、カラダをひねりながら起こす腹筋運動で、引き締め効果が生まれる。
　［クイック］は、お尻を浮かせたところから落とす勢いを利用し、できるだけ速く起き上がるのがポイント。硬いフロアで行うとケガしやすいので、やわらかめの床で行うか、タオルなどをお尻の下に敷いて行うこと。［スロー］はゆっくりと右ひじを左ひざへ、左ひざを右ひざへ、と交互に向かわせる。左右交互でなく、それぞれの向きを限界まで行う。
　このトレーニングを［クイック→スロー］の順で組み合わせて行うことで、割れた形が見た目にわかる腹筋がつくりだせる。

Quick-2

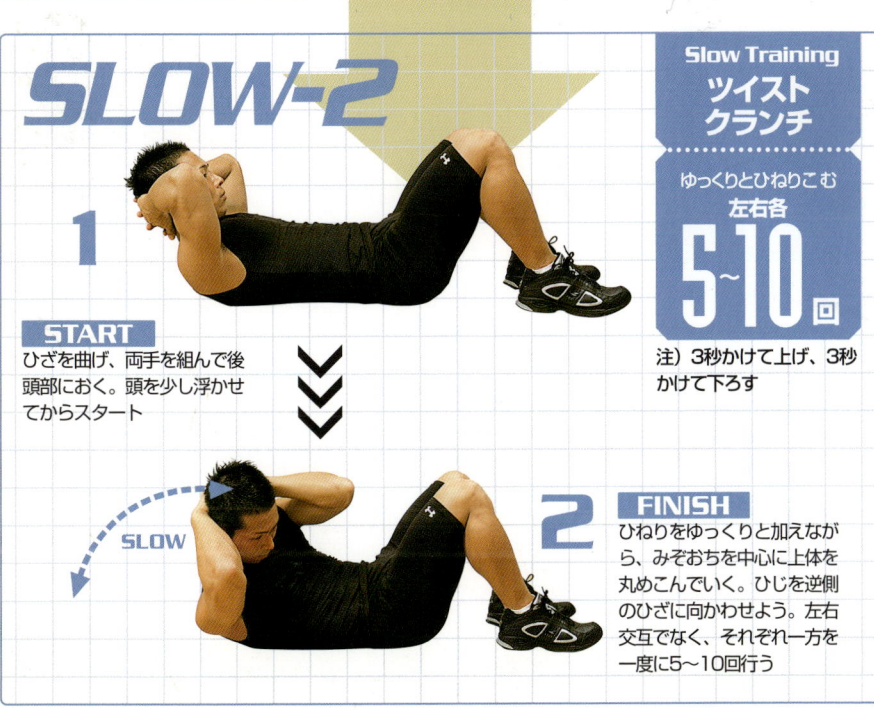

クイック ツイストクランチ

浮かせたお尻を落とす勢いを利用して

左右各 10 回
Quick Training

注）30％の力で5回、50％の力で5回、ストレッチをしてから行う

1 START
片手を後頭部、もう一方の手をお腹に用意。ひざを曲げ、お尻を軽く浮かせたところからスタート

FINISH
お尻を落とす反動で、全力で一気に起き上がる。ひじを逆側のひざに向かわせてカラダをひねりこむ

2 Quick

SLOW-2

Slow Training
ツイストクランチ

ゆっくりとひねりこむ

左右各 5〜10 回

注）3秒かけて上げ、3秒かけて下ろす

1 START
ひざを曲げ、両手を組んで後頭部におく。頭を少し浮かせてからスタート

2 SLOW FINISH
ひねりをゆっくりと加えながら、みぞおちを中心に上体を丸めこんでいく。ひじを逆側のひざに向かわせよう。左右交互でなく、それぞれ一方を一度に5〜10回行う

Chapter 3 ……自由自在にカラダをつくる！部位別ピンポイントトレーニング

[Quick→Slow] Training

わき腹を引き締め腰のくびれをつくる

クランチ系のトレーニングに加え、ここで紹介する、わき腹を刺激するトレーニングをプラスすれば、さらに引き締まったウエスト、腰のくびれをつくれる

さらにウエストをくびれさせるトレーニングとして、リズミカルサイドニーアップとサイドベントを紹介しよう。

リズミカルサイドニーアップは、右ひじと右ひざ、左ひじと左ひざを交互に合わせるようにするトレーニング。リズミカルに行うことでわき腹の筋肉（外・内腹斜筋）に刺激を与えられる。見た目以上にハードなトレーニングである。

サイドベントは、片側の腕にダンベルを握ってぶら下げておき、わき腹の筋肉を使って引っ張り上げるように行うトレーニング。左右両側でやって均等に鍛えよう。これで落ちにくく、気になるわき腹のたるみを改善できる。さらなるわき腹の引き締めが可能となるのだ。

Quick-3

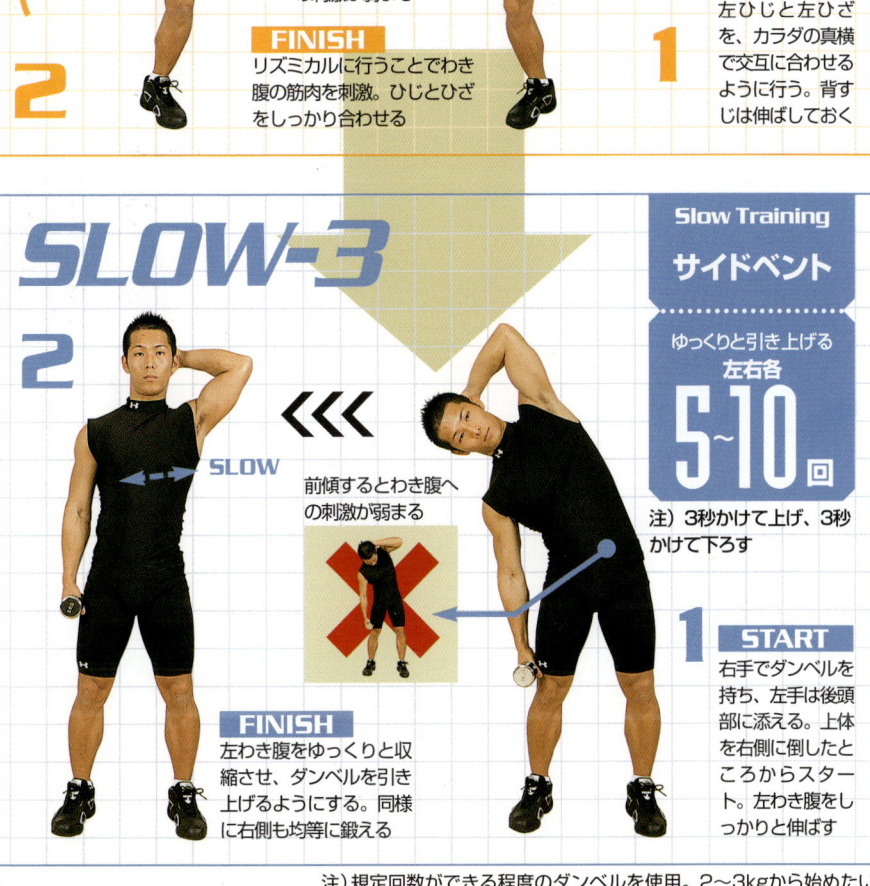

リズミカルサイドニーアップ

わき腹を使ってひざを上げる

左右交互に 10 回

Quick Training

注）30%の力で5回、50%の力で5回、ストレッチをしてから行う

START
右ひじと右ひざ、左ひじと左ひざを、カラダの真横で交互に合わせるように行う。背すじは伸ばしておく

FINISH
リズミカルに行うことでわき腹の筋肉を刺激。ひじとひざをしっかり合わせる

前傾するとわき腹への刺激が弱まる

SLOW-3

サイドベント

Slow Training

ゆっくりと引き上げる

左右各 5〜10 回

注）3秒かけて上げ、3秒かけて下ろす

START
右手でダンベルを持ち、左手は後頭部に添える。上体を右側に倒したところからスタート。左わき腹をしっかりと伸ばす

FINISH
左わき腹をゆっくりと収縮させ、ダンベルを引き上げるようにする。同様に右側も均等に鍛える

前傾するとわき腹への刺激が弱まる

注）規定回数ができる程度のダンベルを使用。2〜3kgから始めたい

Chapter ③ ……自由自在にカラダをつくる！部位別ピンポイントトレーニング

キュッと上がったシャープなヒップをつくる

お尻のシルエットは、後ろから見たスタイルの印象を大きく左右する。キュッと持ち上がった、シャープなヒップを手に入れよう

垂れ下がるなど、気になるお尻をキュッと持ち上げるには、お尻（大臀筋）および太ももの裏面（ハムストリングス）の筋肉を鍛えるといい。おすすめはフォワードランジというトレーニングで、足を大きく前後に開き、屈伸運動を行うことで目的の筋肉をうまく鍛えられる。

［クイック］では、力強く踏み込んでから足で床を思いきり突き、その反動で上体を戻すようにする。［スロー］では足を踏み出したフォームのまま、その場で上下運動をくり返そう。

［クイック→スロー］の順で組み合わせたトレーニングなら、お尻のシルエットが見違えるようになるだろう。

Quick-4

クイック フォワードランジ

思いきり床を踏みこむ

左右各 10 回

Quick Training

注）30％の力で5回、50％の力で5回、ストレッチをしてから行う

FINISH
太ももと床とが平行になるくらいまでひざを深く曲げたら、一気に床を蹴り上体を戻す

両足を直線上に並べるとアンバランス

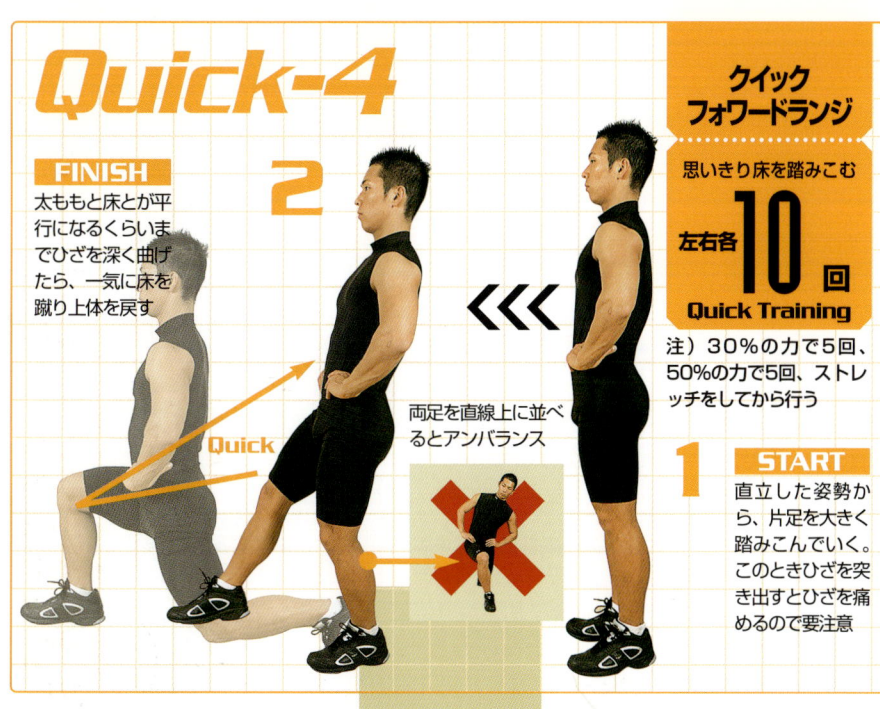

1 START
直立した姿勢から、片足を大きく踏みこんでいく。このときひざを突き出すとひざを痛めるので要注意

SLOW-4

Slow Training

フォワードランジ

ゆっくりと上下動

左右各 5〜10 回

注）3秒かけて上げ、3秒かけて下ろす

FINISH
ひざを伸ばしていき、伸びきる手前で動作をとどめる。力を抜くことなく運動し続けるのがポイント

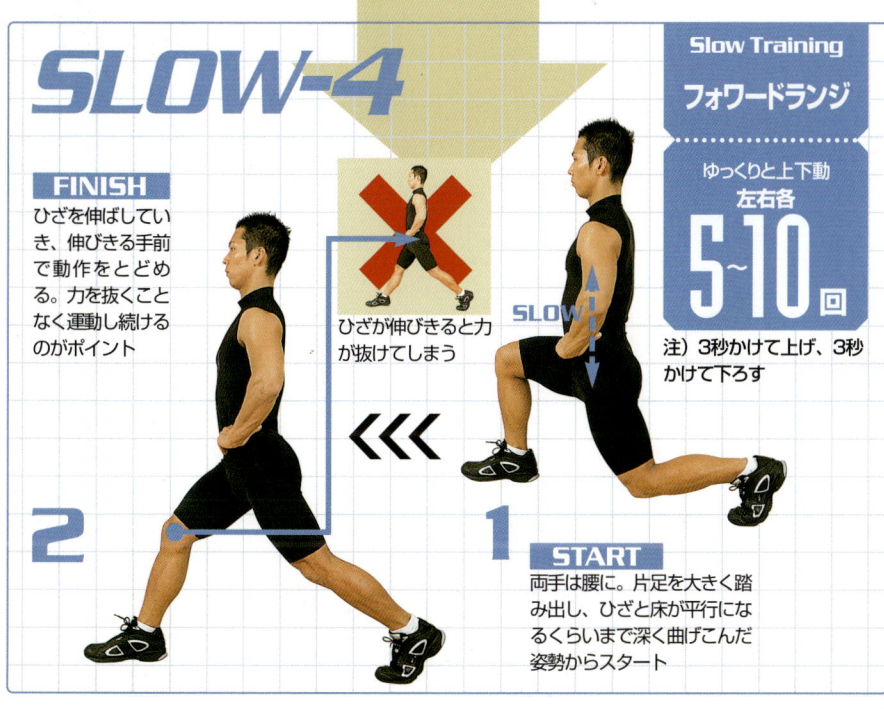

ひざが伸びきると力が抜けてしまう

1 START
両手は腰に。片足を大きく踏み出し、ひざと床が平行になるくらいまで深く曲げこんだ姿勢からスタート

Chapter 3 ……自由自在にカラダをつくる！部位別ピンポイントトレーニング

[Quick→Slow] Training

スラリとした脚線美を手に入れる

やわらかく締まりのない内ももでは、脚のラインは美しくない。ついてしまったぜい肉を落とせば、スラリと伸びた印象になる

ワイドスクワットは脚全体を鍛えられるが、ワイドスタンスにすることで、特に内もも（内転筋）への刺激が強くなる。脚を大きく左右に開き、内ももの筋肉を意識しながら行おう。腕の振りも利用して思いきり高く跳び、着地したらまたその反動を利用して再びジャンプする。運動量の激しいこのトレーニングの、内ももの引き締め効果は群を抜くといっていいだろう。

また、［スロー］で行うワイドスクワットも、手軽ながら内ももをしっかり刺激できる下半身トレーニング。ゆっくり動作し、ひざが完全に伸びきらないところで屈伸運動をくり返すのが非常に大切なポイントだ。

Quick-5

ワイドスクワットジャンプ

思いきり空高く

10回

Quick Training

注）30％の力で5回、50％の力で5回、ストレッチをしてから行う

FINISH
腕を勢いよく振り下ろし、上体を深くしゃがみこませたら、その反動で一気にできるだけ高く跳躍する

START
スタンスは肩幅の1.5倍強。両腕を頭上に持っていき、背中を反らせて勢いよくしゃがみこむ

SLOW-5

ワイドスクワット

Slow Training

ゆっくりと上下動

5～10回

注）3秒かけて上げ、3秒かけて下ろす

FINISH
ゆっくりと動作し、ひざを伸ばしていく。伸ばしきらず、力が抜けてしまわないようにする

ひざが伸びきると力が抜けてしまう

START
スタンスは肩幅の1.5倍強。両手は後頭部に添える。太ももと床とが平行になる程度に、ひざを深く曲げる

[Quick→Slow] Training

Chapter 3 ……自由自在にカラダをつくる！部位別ピンポイントトレーニング

引き締まった ふくらはぎをつくる

カモシカの脚のようなふくらはぎは、集中トレーニングによってつくりだせる。引き締めると、下半身の印象ががらりと変わる

引き締まったひざ下をつくるには、ふくらはぎ（ヒフク筋、ヒラメ筋）を鍛えるといい。トレーニングにはカーフレイズがおすすめ。この、かかとの上下運動によって、ふくらはぎをピンポイントに鍛えられる。

[クイック]では、ひざを伸ばす勢いを利用して、カラダを浮かせ足首を伸ばす力だけで地面から跳び上がるつもりで行おう。数センチでもかまわないので、思いきり足首を伸ばす。

[スロー]はゆっくりとしたかかとの上下運動。ふくらはぎは、かかとを上げきっても力が抜けないため、目いっぱいつま先立ちとなる。ただし下ろすときは、かかとが床に完全についてしまうと力が抜けるので、かかとが落ちきらないように注意しよう。

Quick-6

カーフレイズ ジャンプ

つま先の蹴りで跳ぶ

10回
Quick Training

注）30％の力で5回、50％の力で5回、ストレッチをしてから行う

2 FINISH
ひざを伸ばす勢いで、足首を一気に伸ばす。少しでも浮き上がれるようにする

1

START
かかとはしっかりと床につけておく。少しひざを曲げておく

↑Quick

SLOW-6

Slow Training

カーフレイズ

かかとの上下運動

5〜10回

注）3秒かけて上げ、3秒かけて下ろす

2 FINISH
足首をゆっくりと伸ばし、つま先立ちの姿勢となる。伸ばしきっても力は抜けないので限界まで伸び上がろう

❌ かかとを床につけると力が抜けてしまう

1

START
かかとを床から少し浮かせた状態からスタート。カラダを安定させるため、台に軽く手をついてもよい

↓SLOW

Chapter 3 ……自由自在にカラダをつくる！部位別ピンポイントトレーニング

[Quick→Slow] Training

Functional-1

バウンディング

全身を使う大また跳び

左右交互に **10**回

Functional

注）30％の力で5回、50％の力で5回、ストレッチをしてから行う

START
腕の振りなども使って行う大またのジャンプ。着地した勢いを反動に利用し、左右交互に思いきり跳ぶ

FINISH
着地の勢いをジャンプに利用。できるだけ大きく動作するのがポイント

見た目の美しさだけではなく、機能的なカラダに肉体改造！ トレーニングを、いくつか紹介しよう

　バウンディングとタックジャンプは、バネのある脚に鍛え上げるトレーニング。バスケットボールやバレーボール、野球、テニスなど、どんなスポーツでも動きに「キレ」が出る。

　バウンディングは、できるだけ大きく動作し、着地時の反動を使って跳びはねる。タックジャンプでは、ジャンプの頂点でひざを曲げて抱えこむような姿勢となり、両手でひざ頭をたたく。腱のバネを使った動きの強化と俊敏性を養えるトレーニングだ。全力の3～5割で5回、5～7割で5回程度行う。ウォーミングアップを忘れずに。

Functional-2

タックジャンプ

リズミカルなジャンプ

10回 Functional

注）30％の力で5回、50％の力で5回、ストレッチをしてから行う

START
しゃがみこんだら、腕の振りによる反動も利用して、その場でできるだけ高くジャンプできるようにする

FINISH
頂点でひざを曲げ、ひざ頭を両手で打つ。リズミカルにくり返すことで俊敏性もアップ

Quick

Chapter 3 ……自由自在にカラダをつくる！ 部位別ピンポイントトレーニング

[Quick→Slow] Training

Functional-3

スタンドアップ プッシュアップ

腕立てから立ち上がる

10回

Functional

START
腕立て伏せで腕を伸ばす勢いを使い、力いっぱい床を押す。下半身の動きもうまく同調させてお尻を引く

1

FINISH
中腰となり、立ち上がるようにする。うまく立ち上がるには、全身のバランスとタイミングの取り方なども大切だ

Quick

2

どれもが機能的なカラダ使いを実現するトレーニング。スポーツ万能の高性能なカラダを目指せ!

　スタンドアッププッシュアップは、腕立て伏せで腕を伸ばす勢いとお尻を引く動作で、そのまま立ち上がるトレーニング。力いっぱい床を押して中腰となり、立ち上がるようにする。腕力のみでは難しく、全身をうまくコーディネートさせて動かす能力を養う。

　ハンマーツイストとスワイショウは、ゴルフやテニス、野球など、体幹を使ってスイングするスポーツで、ムチのようにしなる動きを実現させるトレーニング。ハンマーツイストでは、地面を蹴る力を下半身から上半身へ伝え、うねり上げるように動作しよう。

Functional-4

スワイショウ

鋭い腕の使い方

適当回数
Functional

FINISH
腰の回転に伴い、脱力した腕を鋭くしならせる動作。カラダをでんでん太鼓のように使う

2

⋘

1

START
腕は完全に脱力。りきみをすべて取っておこう。カラダをひねることで腕は自然にしなるように動く

Functional-5

ハンマーツイスト

ダンベルをスイング

左右各 10 回
Functional

注）30％の力で5回、50％の力で5回、ストレッチをしてから行う

2

Quick

⋘

FINISH
ひざ→腰→体幹→腕の順に、下からうねり上げるように動作する

1

START
ななめ下から逆側のななめ上へとダンベルを振り上げる。ひざの曲げ伸ばしや体幹のひねり運動をうまく使うことが大切

注）規定回数ができる程度のダンベルを使用。2〜3kgから始めたい

「部位別」のトレーニングメニュー参考例

■徹底的にウエストを絞り込む

●+αメニュー

下記のトレーニング日に、P120-123で紹介したクイックツイストクランチ、ツイストクランチ、リズミカルサイドニーアップ、サイドベントの4種目を各1セットずつ、最後に追加する

[スロー]ベーシックコース　　　P54　　[クイック→スロー]ベーシックコース　　　P88　　[ヘビー→スロー]ベーシックコース　　　P110
[スロー]ハードコース・メニューA　P55　　[クイック→スロー]ハードコース・メニューA　P89　　[ヘビー→スロー]ハードコース・メニューA　P111

MENU

クイックツイストクランチ → ツイストクランチ → リズミカルサイドニーアップ → サイドベント

- 左右各 10回　P121
- 左右各 5〜10回（限界まで）　P121
- 左右交互に 10回　P123
- 左右各 5〜10回（限界まで）　P123

●オンリーメニュー

下記のトレーニング日に、P120-123で紹介したクイックツイストクランチ、ツイストクランチ、リズミカルサイドニーアップ、サイドベントの4種目を各1セットずつ、最後に追加する

[クイック→スロー]のお腹の種目　P80　　[ヘビー→スロー]のお腹の種目　P100

MENU

クイックツイストクランチ → ツイストクランチ → リズミカルサイドニーアップ → サイドベント

- 左右各 10回　P121
- 左右各 5〜10回（限界まで）　P121
- 左右交互に 10回　P123
- 左右各 5〜10回（限界まで）　P123

■男らしい逆三角形ボディをつくる+αメニュー

●+αメニュー

下記のトレーニングに、P118-119で紹介したクイックサイドレイズ、サイドレイズの2種目を各1セットずつ、最後に追加する

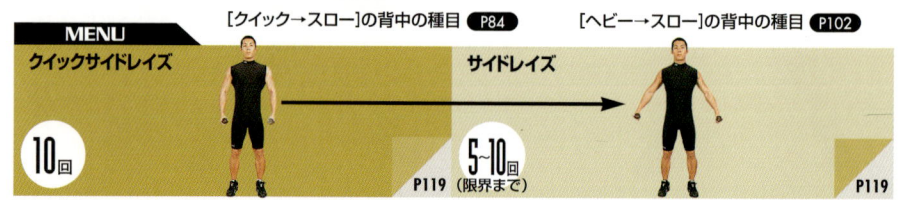

[スロー]ベーシックコース　　　P54　　[クイック→スロー]ベーシックコース　　　P88　　[ヘビー→スロー]ベーシックコース　　　P110
[スロー]ハードコース・メニューA　P55　　[クイック→スロー]ハードコース・メニューA　P89　　[ヘビー→スロー]ハードコース・メニューA　P111

MENU

クイックサイドレイズ → サイドレイズ

- 10回
- 5〜10回（限界まで）　P119　　P119

●オンリーメニュー

下記のトレーニングに、P118-119で紹介したクイックサイドレイズ、サイドレイズの2種目を各1セットずつ、最後に追加する

[クイック→スロー]の背中の種目　P84　　[ヘビー→スロー]の背中の種目　P102

MENU

クイックサイドレイズ → サイドレイズ

- 10回
- 5〜10回（限界まで）　P119　　P119

■短パンの似合う、強くしなやかな脚をつくる

●＋αメニュー

下記のトレーニング日に、P124-129で紹介したクイックフォワードランジ、フォワードランジ、ワイドスクワットジャンプ、ワイドスクワット、カーフレイズジャンプ、カーフレイズの6種目を各1セットずつ、最後に追加する

| [スロー]ベーシックコース | P54 | [クイック→スロー]ベーシックコース | P88 | [ヘビー→スロー]ベーシックコース | P110 |
| [スロー]ハードコース・メニューA | P55 | [クイック→スロー]ハードコース・メニューA | P89 | [ヘビー→スロー]ハードコース・メニューA | P111 |

MENU

クイックフォワードランジ	ワイドスクワットジャンプ	カーフレイズジャンプ
左右各 10回 P125	10回 P127	10回 P129
フォワードランジ	ワイドスクワット	カーフレイズ
左右各 5～10回 (限界まで) P125	5～10回 (限界まで) P127	5～10回 (限界まで) P129

●オンリーメニュー

下記のトレーニングに、P124-129で紹介したクイックフォワードランジ、フォワードランジ、ワイドスクワットジャンプ、ワイドスクワット、カーフレイズジャンプ、カーフレイズの6種目を各1セットずつ、最後に追加する

[クイック→スロー]の脚の種目　P80　　[ヘビー→スロー]の脚の種目　P100

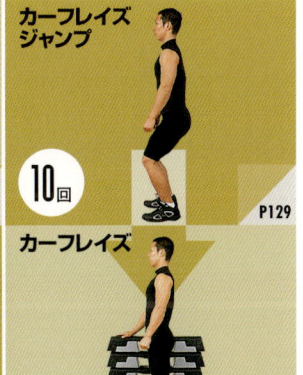

MENU

クイックフォワードランジ	ワイドスクワットジャンプ	カーフレイズジャンプ
左右各 10回 P125	10回 P127	10回 P129
フォワードランジ	ワイドスクワット	カーフレイズ
左右各 5～10回 (限界まで) P125	5～10回 (限界まで) P127	5～10回 (限界まで) P129

column 3

筋肉痛ってなぜ起こる？

　筋トレに限らず、激しい運動を行うと、翌日あたりから使った部分の筋肉が痛みだす。そしてこの痛みは何日間も続いたりするから始末に負えない。一般に筋肉痛といわれるこの現象は生理学的には、痛みが遅れてくるので「遅発性筋痛」とよばれている。この筋肉痛、なぜ運動をしたそのときではなく翌日以降に遅れてやってくるのか。

　運動すると、その動作の刺激から筋肉は微細ながら損傷を受ける。その瞬間はあまり痛みを感じないのだが、損傷部を再生しようとする炎症反応が痛むのだ。再生方法はかなり手荒なもので、中途半端な応急処置などはせず、損傷した組織を一度しっかり壊してから、根本的につくり直すというもの。炎症反応にはある程度の時間がかかるため、痛みが遅れてやってくるということになる。打撲などで後から患部がうずいて痛みが増すのも同じ現象だ。

　歳をとると筋肉痛が翌日ではなく翌々日に起こることもある。原因は明確には解明されていないが、これは加齢により炎症反応が鈍くなり、炎症の進行具合が遅くなったためではないかと考えられている。

Chapter **4**

知っておきたい
トレーニングの秘密

トレーニングがうまくいかない原因とは

トレーニングしても筋肉がつかない、痩せられないという人もいるかもしれない。しかし、きちんとできているのに成果がまったく得られないということはまずありえない。何か原因があるはずだ。ここにあげている4つは、トレーニングがうまくいかない代表的な原因。すべてチェックして、思いあたる項目をなくしていこう。

Good!

Bad!

原因1　じつはやり方が間違っている

　まず、トレーニングのやり方をもう一度確認してみてほしい。写真だけを見てマネているだけではないだろうか？　形だけ再現しても、じつはやり方がまったく違うことはよくある。NG例なども参考にしつつ、やり方をきちんと把握して動作やタイミングなどをしっかり覚えよう。

　やり方が正しければ、[スロー]ではトレーニング中のパンプアップ、[クイック]では翌日の筋肉痛を必ず感じられるはず。これらを感じられない人は、トレーニングが正確にできていないということだ。

原因2 食事は正しく摂れているか

　食事が大切なのはいうまでもない。必要な栄養素をしっかり摂らないと筋肉を大きくできないし、必要以上に摂ってしまうと脂肪が増えてしまう。

　「正確な方法でトレーニングをしているのに痩せられない」とこぼす人は食べすぎているか、食べるものが適切ではない（第5章を参照）と考えていいだろう。その日食べたものを書き出すだけでも、改善のポイントがわかることがある。試してみよう。

原因3 何かと体質のせいにしてしまう

　筋肉は、つきやすい人もいればつきにくい人もいる。また痩せやすい人、太りやすい人もいるだろう。とはいえ、体質が原因でカラダをまったく変えられないことはありえないので安心しよう。それよりも体質のせいにして、トレーニングや食事をおろそかにしてはいないだろうか？

　「ちっとも痩せない体質」と嘆く人ほど、じつは総摂取エネルギーが多かったり、「筋肉がつかない」と悩んでいる人ほどトレーニングをいい加減に行ったりしていることが少なくないのだ。

原因4 急激な効果を期待している

　トレーニングの成果で筋肉がついて脂肪が落ち、見た目の体形が変わるにはある程度の時間が必要。体形の変化が2週間で見られなくても、それが失敗かどうかはまだわからない。

　トレーニングによって体形が明らかに変わるには、一般に2～3か月程度の期間が必要とされる。「1週間で5kg減」といった類のキャッチコピーに惑わされてはいけない。そんな劇的な短期ダイエットを追求しているうちに、たいていは何も変わらないまま数年がすぎているもの。現実はそれほど甘くない。

有酸素運動と組み合わせるとさらに効果的

カラダデザインには「無酸素→有酸素」の順がおすすめ

脂肪を運動中に直接燃やせるのが有酸素運動の特徴であり、安静時にメラメラと脂肪を燃やし続ける筋肉を大きくできるのが無酸素運動の特徴だ。体脂肪がかなり気になり、なるべく早く痩せたいのであれば、ぜひ組み合わせて行いたい。

この組み合わせで実践する前に知っておきたいのが、脂肪を燃焼させる2段階のステップ「分解」と「燃焼」だ。「分解」とは体脂肪が遊離脂肪酸とグリセロールが血液中に送り出されることで、「燃焼」とはそれが筋肉に取りこまれてエネルギーとなること。「スロー」トレーニングのような無酸素運動を行うと、成長ホルモンの効果で体脂肪が「分解」され、血液中に燃やしやすい状態で送り出される。このタイミングで脂肪「燃焼」効果の高い有酸素運動を行えば、効率的に脂肪を燃やせるのだ。

「無酸素→有酸素」の順序は、このステップを考えると脂肪燃焼効果が

140

有酸素運動と組み合わせる場合は、その「順序」が極めて重要

無酸素運動と有酸素運動の組み合わせの順番を入れ替えて行ったグラフ。無酸素運動後に有酸素運動を行ったほうが成長ホルモンの分泌量が多く、脂肪がより多く分解されていることがわかる

無酸素運動のあとに有酸素運動を行った場合

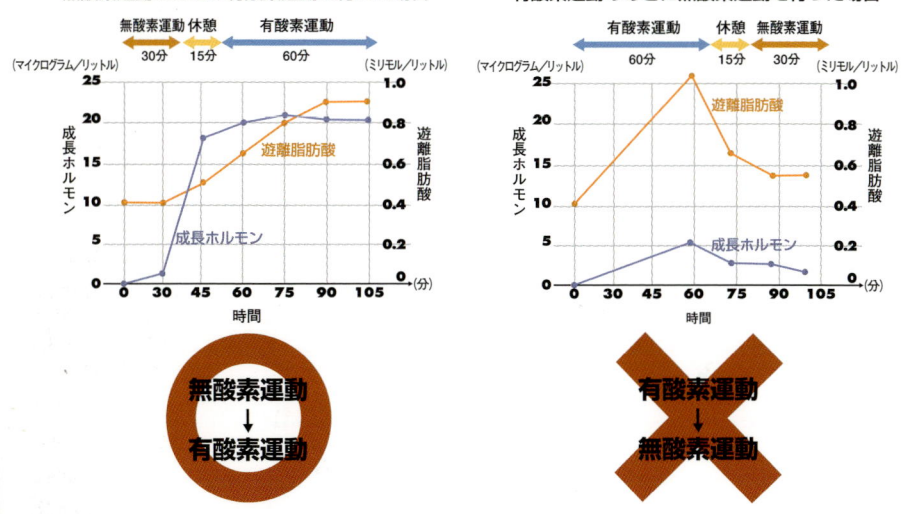

無酸素運動 30分 / 休憩 15分 / 有酸素運動 60分

（マイクログラム／リットル）／（ミリモル／リットル）

成長ホルモン／遊離脂肪酸／時間（分）

○ 無酸素運動 → 有酸素運動

有酸素運動のあとに無酸素運動を行った場合

有酸素運動 60分 / 休憩 15分 / 無酸素運動 30分

× 有酸素運動 → 無酸素運動

※出典：Gotoら（2004）などより改変
※目的によって「有酸素→無酸素」の順番で行う場合もある。有酸素的能力を上げることを優先する場合（長距離走の記録を伸ばしたいなど）などは優先するものから先に行ってもよいだろう。

非常に高い。また力を振り絞るタイプの無酸素運動は、疲労していないうちのほうが十分な強度でできて効果が高いので、筋肥大の面でも優れている。

この順序が逆になると、筋肥大にも脂肪分解にも重要なキーポイントとなる成長ホルモンの分泌が抑えられてしまう。これは有酸素運動で「分解」が進み血液中の遊離脂肪酸が増えると、成長ホルモンの分泌量が抑えられる性質があるからだ。

つまり「燃焼」後に「分解」の無酸素運動をしても、効果が低くなる。また有酸素運動後は疲労が残るので、無酸素運動を十分な強度で行えなくなってしまう。組み合わせるなら「無酸素→有酸素」がいいだろう。

有酸素運動といっても気負う必要はない。トレーニング後に、10分間の散歩をするだけでも効果的なのだ。

[Quick→Slow] Training

The muscle grows up

トレーニングを始めると筋肉はこうして成長する

**強い力はトレーニング初期から出せるようになる。
筋肉が目に見えて大きくなるには、一定の時間が必要**

　トレーニングによるカラダの変化には段階がある。強い力を出せるカラダは比較的早くつくれるが、見た目のサイズを明らかに大きくするには、それよりもう少し時間がかかる。

　トレーニングの初期で力が強くなるのは、筋肉の肥大によるところは少なく、おもには筋線維の動員率が上がったため。定期的にトレーニングする人ほど、より多くの筋肉を運動に使える（P24参照）ようになる。これを「神経適応」といい通常、数週間かかる。

　ここでトレーニングをやめてしまう人も多いが、体形が変わり始めるのはまさにここから。じつにもったいない話である。

　さらにトレーニングを続けると、眠っている筋肉を起こすだけでは対応しきれなくなり、1か月程度で速筋が大きくなり始め、体形の変化がスタートする。そしてトレーニングを2か月も継続すれば、カラダにだんだんメリハリがついて、理想のカラダに近づき出すのだ。

筋肥大にはどうしても時間がかかる

トレーニングを始めて間もなく、より大きな力を発揮できるようになる。ただし、これは筋肉が肥大したからではない。これまで使われず眠っていた筋肉が目覚めて、活動を始めた段階だ。そのまま継続することで筋肥大の段階に入り、体形が変わり始めるのだ。

筋肥大が本格的に始まるまでは通常1か月ほどかかる。そして明らかな体形変化まではそこから2か月ほど必要。力が強くなったことなどを楽しんで継続しよう。

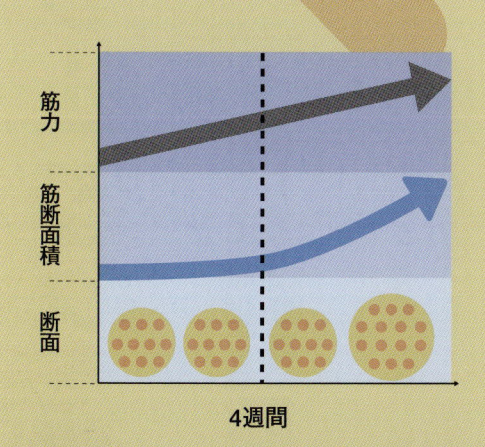

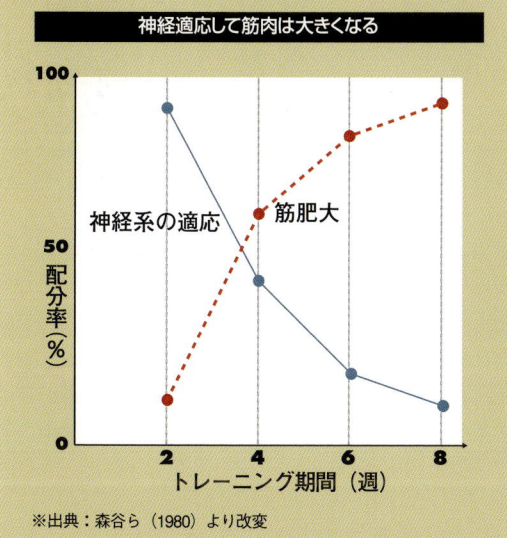

筋力 / 筋断面積 / 断面

4週間

神経適応して筋肉は大きくなる

配分率（％） / トレーニング期間（週）

神経系の適応 / 筋肥大

※出典：森谷ら（1980）より改変

Healthy Body & Mind !!

トレーニング開始直後でも、腕や脚が太くなったように感じるかもしれないが、それはパンプアップによる筋肉の水ぶくれ、または炎症反応による腫れ上がりと見たほうが適切。まだ「筋肥大」したわけではないので、筋肉を順調に大きくする準備を整えていると考え、トレーニングの励みにしよう。週に2〜3回、十数分程度のトレーニングを続けるだけで、カラダは確実に変化してくる。体形が理想に近づくにつれ、やる気もおのずと湧き上がってくるだろう。

[Quick→Slow] Training

トレーニングを継続するには

**目標を数値化するのは非常に有効。
見た目を徹底的に気にすべし！**

トレーニングを継続するに当たって、目標を数値化することは非常に有効で大切なことだ。人間とは現金なもので、少しでも成果があると続けようと思い、それを励みにして頑張れるものである。たとえば体重、体脂肪率、ウエストのサイズ、腕まわりの太さなどをチェックして、少しでも数値が変わっていればメンタル面で大いにプラスになる。逆に恐ろしいのは、成果がないと感じると一気にやる気を失ってしまうこと。だからこそ正しいやり方で、できるだけ早く目に見える結果を、あせらず出すことが重要だ。週ごとに変化をメモしていくといいだろう。体脂肪率が気になる人はウエストサイズの目標を立てることをおすすめする。内臓脂肪は落ちるのが比較的早いため、変化を確認しやすくトレーニングの励みにしやすい。

また、おしゃれをするのもいいだろう。見た目を気にするのは、じつはモチベーションを高めるのに非常に有効で、気にする人ほどどんどんカッ

Continuation is Power
「継続は力なり」!!

測定値記入例

体重や気になる部分のサイズを記録することで、その変化を数値化してみれば、たとえ見た目に大きな変化は見られなくても、モチベーションにつながることだろう。P174〜175のグラフを記入して、その変化をトレーニングの励みにしていこう

体重／体脂肪率

よく美しくもなれる。ワンサイズ細みのジーンズを部屋の見えるところに吊るしておいたりすれば目標ができ、やる気もこみ上げてくるだろう。

Chapter 4 ……知っておきたいトレーニングの秘密

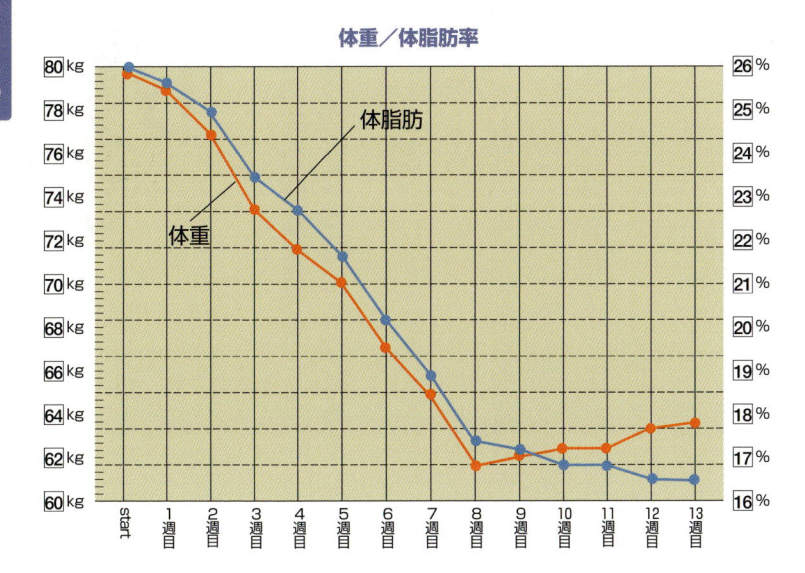

SLOW Training　**QUICK Training**

病気を寄せつけない免疫ボディづくり

成長ホルモンは免疫力をも成長させる。培った自信をもって前向きな性格にもなれる！

トレーニングを継続すると、見た目にスタイリッシュになるばかりか、病気を寄せつけない健康体にもなれる。というのも、トレーニングによって多量に分泌する成長ホルモンには、免疫力を高める効果もあるからだ。

成長ホルモンで新陳代謝が高まれば、全身の細胞がどんどん活性化されていくので免疫力も上がるのだ。定期的に運動している人ほど病気にかかりにくいことは、経験的にも納得のいく話だろう。病弱なアスリートというのはあまりいないが、病弱な少年がトレーニングにより屈強なアスリートに生まれ変わったという例は、枚挙にいとまがない。

また、トレーニングによって肉体をつくり上げることに成功した自信は、明るく前向きな精神状態をも同時につくりだせるだろう。前向きに生きられることは、心身の健康を保つうえで非常に重要。ストレスを感じたときに分泌される「コルチゾール」というホルモンは、免疫力を低下させて筋

Healthy Body & Mind !!

免疫力 UP

成長ホルモン分泌

肉を分解し、間接的とはいえ脂肪をためこむ作用もある。このコルチゾールの発生も抑えられると考えられているのだ。ストレスに病んでいると本当に病気になってしまい、体力も衰え、体形も乱れていく。トレーニングにより、前向きで心身ともに健康な強いカラダを手に入れよう。

Chapter 4 ……… 知っておきたいトレーニングの秘密

筋肉をつけて若返るカラダ

新陳代謝が活性化し、各種栄養素の供給や、全身の老廃物の除去がスムーズになる

　トレーニングによる筋肉と血管の発達は、血液循環の環境を良好にし、栄養素を全身にくまなく行き渡らせ、老廃物をしっかり回収してくれる。また成長ホルモンの作用とあいまって新陳代謝が活性化し、なかなか老けないカラダになれるというわけだ。

　また、テストステロンという男性ホルモンの分泌量が増え、活力や精力も高まってくる。活動的になれることでストレスもたまりにくくなり、若々しく生き生きとしていられるだろう。企業経営者や政治家、スポーツマンなど、分野を問わず業績のいい人ほど実年齢よりも若々しく覇気があるものだが、彼らのテストステロン量を測定すると、通常よりも高いことが確認されている。男性ホルモンは精力にも深く関係しているので、「英雄色を好む」という言葉もあながち間違いではないのである。

　ボディビルダーなどの筋肉がかなり発達した人の見た目の年齢は、実年

トレーニングでカラダが若返る！

1 成長ホルモン分泌が活発となり肌や髪の毛が若返る

2 男性ホルモンの分泌量が増えて活力＆精力も高まる

3 病気にかかりにくい

石井直方の、46歳のときの写真。トレーニングによる代謝促進効果は確実にあり、見た目にもはっきり現れる。適切な方法で筋肉をつければ、老けにくいカラダになれるということがいえる

齢よりもずっと若いことが多い。これは、筋肉が張ることにより皮膚のしわがピンと伸ばされるという表面的な理由だけではなく、カラダの中から細胞レベルで若いのだ。左の写真のような肉体は、一般の40代後半の男性ではありえないほど若々しい。継続的にトレーニングをこなすことで、肌も筋肉も若さを保つことは可能なのだ。

成長ホルモンが持つ驚異のパワー

高齢者でも成長ホルモンを出せる。年齢は気にせず始めよう

本書で紹介した［スロー］トレーニングで分泌させられる成長ホルモンは、じつは病院でも処方してもらえる。週に2回ほど成長ホルモンを注射などで大量に補うことで、高齢者なら3か月あれば外見が10歳程度若返るといわれている。実際、アメリカでは3か月のホルモン投与で肌の保水量が2倍になりしわが半分に減った、頭髪の量が増えたとの研究結果も出ている。

ただし成長ホルモン充填療法の注射は、安くなったとはいえ1本あたり20万円程度かかる。効果を実感できるまでには、数百万円の費用は覚悟しなければならない。

さらに副作用という深刻な問題もある。成長ホルモンは細胞の成長を促すので、がん細胞があるとその増殖を加速してしまう。また外部からの大量投与を続けていると、体内で成長ホルモンをつくりだす能力が極端に落

加齢により減っていく成長ホルモン

成長ホルモンの分泌量は16歳ごろがピークといわれ、以降は減っていくのが現実だ。しかし、高齢者でも適度な運動刺激を与えれば、分泌量は確実に増える。実際、104歳の高齢者でトレーニングによる成長ホルモンの分泌が観察された例もある。トレーニングを始めるのに遅すぎるという年齢はない。確実に若返る成長ホルモンは、運動刺激で分泌を高められるのだ

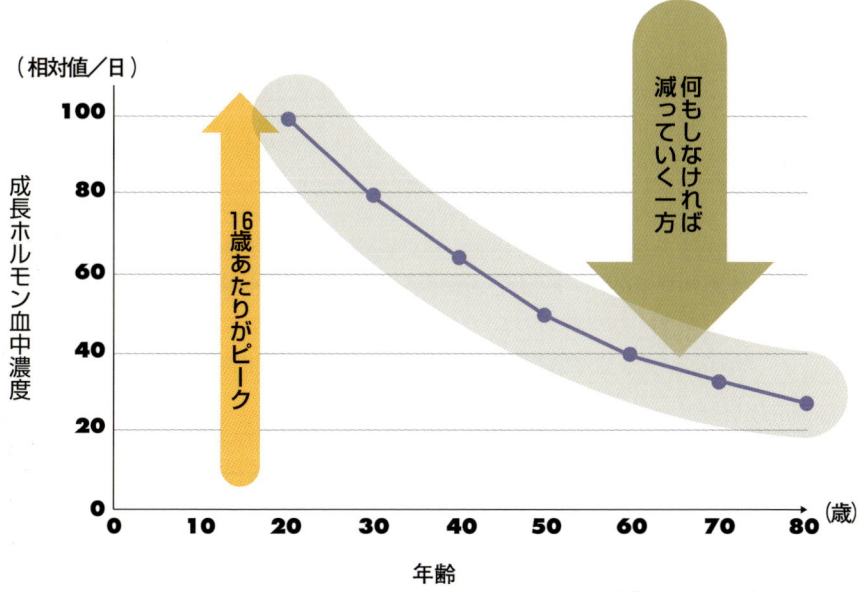

（相対値／日）

成長ホルモン血中濃度

16歳あたりがピーク

何もしなければ減っていく一方

年齢（歳）

※出典：Lambertsら（1997）より改変

ちてしまうのだ。ホルモン注射をやめると自力でつくりだすことが難しくなり、成長ホルモンがほとんど出せなくなってしまう。数百万円で若返ると聞くと手を伸ばしたくもなるが、よいことばかりともいえないのだ。

その成長ホルモンは、高齢者であっても「スロー」をすることで、安静時の数百倍は出ることが確認されている。しかも自前の成長ホルモンなら副作用の心配もない。

非現実的なコストや副作用に悩まされることなく、トレーニングによって何歳からでも若返るのだ。

column 4

筋肉が脂肪に変わるって本当？

　「運動をやめたら筋肉が全部脂肪に変わっちゃってねえ……」といった会話を耳にすることがある。特に「昔はスポーツマンでそこそこいいカラダだったんだぜ」と自負する人ほど「昔はこれが全部筋肉だったんだよ」とうそぶいては自分を慰めているようで……。この、筋肉が脂肪に変わるという現象は果たして本当にあるのだろうか？　答えはもちろん「NO」。筋肉細胞と脂肪細胞とは種類がまったく異なる別の細胞なので、そんなことはありえない。勉強せずに運動ばかりしていたら、脳が筋肉になるという話と同レベルの空論だ。「脂肪を筋肉に変える」と平気でうたうダイエット商品や雑誌広告は少なくないがだまされてはいけない。

　では、筋肉が脂肪に変わったように見えるのはなぜか？　それは運動習慣がなくなれば筋肉は日に日に小さくなり、基礎代謝量も減少。行き場のない余剰エネルギーはどこへ行くかというと、体脂肪へとせっせと運ばれる。自慢だった筋肉は痩せ衰え、使われなくなったエネルギーがどんどん体脂肪として蓄えられることになって、筋肉が脂肪になったように見えるのかもしれない。

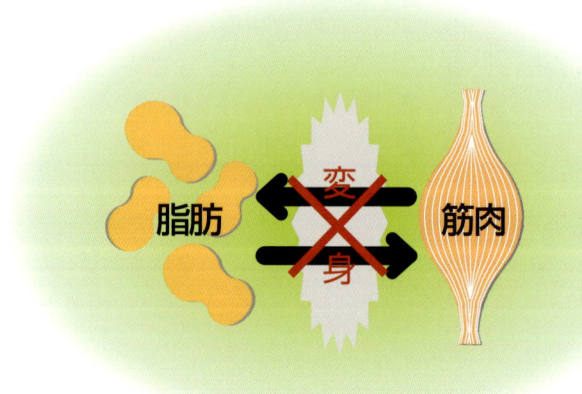

Chapter **5**

トレーニングを
より効果的にするための
食事の工夫
DIET DIVICE

食べたものでできている我々のカラダ

Device of meal

摂取エネルギーと消費エネルギーの収支バランスが基本
収支がプラスなら体重増、マイナスなら体重減

食事からの摂取エネルギーが消費エネルギーを上回れば、そのぶんだけ体重は増え、逆なら体重は減る。エネルギー収支のプラスマイナスが、痩せるか太るかを決めるのである。我々のカラダは食べたものでできていて、食べたものを燃やしてエネルギーを得ているのだから、これは当然といえる。

エネルギーの収支バランスが、体脂肪を落とすためのもっとも大切な条件であることを再確認しておこう。そしてこれに食べ方や、栄養バランスなどの条件がオプションとして加味されるのだ。

低糖質を追求するアトキンスダイエット、低インスリンダイエットでは、糖質（炭水化物）の摂取量とグリセミック指数（GI値：血糖値の上昇度を示すもの）ばかりが取りざたされるが、これだけでスリムな体形をつくり上げるのは不可能。基本はトータルのエネルギー収支であり、あくまでオプションとしてこういった方法を加味すべきだろう。

痩せすぎて筋肉がつきにくいのであれば、摂取エネルギーが不足ぎみといえる。1日3食にこだわる必要はなく、1回の食事量を減らしてでも食事の回数を増やして、1日のトータル摂取エネルギーオーバーをめざそう。特に糖質とタンパク質をしっかりと摂ることが大切。すみやかにカラダに取りこんで、カラダをつくるために必要だからだ。また、必要に応じてサプリメントの利用などを考えてもいいだろう（P164参照）。

人間のカラダは、こうできている

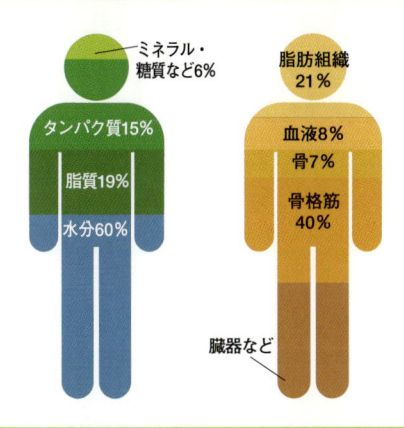

- ミネラル・糖質など6%
- タンパク質15%
- 脂質19%
- 水分60%

- 脂肪組織21%
- 血液8%
- 骨7%
- 骨格筋40%
- 臓器など

人間のカラダは筋肉、臓器、骨、脂肪などからなるが、これらはすべて「食べたもの」でできている。そこに含まれる水分や栄養素が血となり肉となり、そして脂肪にもなるわけだ

※平均的な成人男性の場合

食べたもののカラダでの使われ方

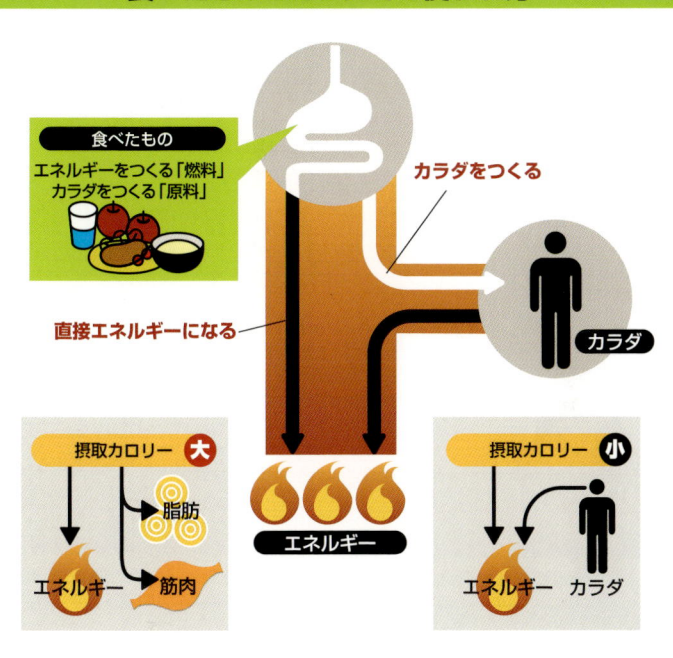

食べたもの
エネルギーをつくる「燃料」
カラダをつくる「原料」

カラダをつくる
カラダ

直接エネルギーになる

エネルギー

摂取カロリー 大
脂肪
エネルギー　筋肉

摂取カロリー 小
エネルギー　カラダ

食べたものは、活動のためのエネルギーをつくる「燃料」となり、カラダをつくる「原料」にもなる。そしてカラダ自体も、エネルギーをつくりだす燃料になる（上図）。

摂取エネルギーが増えると、燃料となるエネルギー以外は筋肉や脂肪となる（左下図）。逆に摂取エネルギーを減らすと、カラダは身を削ってエネルギーをつくりだそうとする（右下図）

Chapter 5 ……トレーニングをより効果的にするための 食事の工夫

知ってはいてもつい忘れがち！
食事で守りたい3つのキーワード

摂取カロリーを厳しく制限するのは逆効果。
適度に気をつけていれば必ず痩せてくる

Device of meal

飢え

過食

体脂肪を落とすには、消費エネルギーを増やすトレーニングだけでなく、摂取エネルギーを減らすために食事をある程度制限することも必要。しかし極端な食事制限では、体重は落ちるがカラダが「飢え」を感じ、かえって体脂肪をためこみやすくなってしまう。また食事制限にストレスを感じるようでは、心身の健康を保つことさえ難しくなるだろう。食欲は、睡眠欲、性欲と並ぶ人間の3大欲求のひとつ。これを激しく制限すると想像以上の精神的ストレスを生んでしまう。極端な行為はいつか必ずタガが外れ、その反動としてドカ食いなどにつながるケースが多いので気をつけよう。

きれいに体脂肪を落とすための食事のポイントを左にあげておこう。おそらく、知ってはいるがつい忘れがちなルールだろう。しかし、これを守るだけでも体脂肪は減少し、想像以上に体形は変わるものだ。

※ただし重度の肥満で体重90kg、体脂肪率が30％を超えるような場合、ある程度厳しい食事制限も必要

POINT1 朝食で「脂肪ためこみモード」をリセット

　睡眠という長時間の絶食のため、起床時は体内の貯蔵エネルギーが不足ぎみ。ここできちんとエネルギー補給することが大切。朝食でエネルギーを補給すれば体温も上がり活力が出て、1日をエネルギッシュにスタートできる。朝食を抜いて飢えた状態でいると、脂肪をためこみやすい省エネモードへと向かってしまう。

　朝が苦手な人はジュース1杯、ヨーグルト1個でもいいので、口にする習慣をつけるようにしたい。

POINT2 脂肪となる「なんとなく食い」を避ける

　時間がきてなんとなく食べる食事や、職場で出されるおやつ、その場にあるので食べてしまうお菓子などは体脂肪の要因。空腹を感じて食べるのはよいが、お腹も空いていないのに食べてしまう間食は避けるべきだ。

　また外食でも、苦手なものや大皿の食べ残しまで食べる必要はない。食べ物を捨てるのは非常にもったいないことだが、お腹に捨てて脂肪にするよりはまし、と考えてほしい。

POINT3 「睡眠中はエネルギー源不要」を合言葉に

　睡眠中は消費エネルギーが減るので、寝る前の食事は体脂肪になりやすい。極端に夕食を減らす必要はないが、主要なエネルギー源となる炭水化物は控えめにするといいだろう。夕食のご飯が1膳なら半膳に、2膳なら1膳に抑えると相当な効果がある。

　おかずに温野菜などを加えると摂取エネルギーが抑えられて満腹感を得られるし、夕食を早めるのもいい方法だ。少なくとも、寝る2時間から3時間前に済ませておきたい。

POINT1 「高脂肪食」はダイレクトで体脂肪に

　当然だが、脂肪は3大栄養素のなかでも非常にエネルギー量が高く体脂肪になりやすいので、なるべく控えよう。デザートなどはパッケージに成分表があるので、チェックしてから選ぶといいだろう。たとえば和菓子は、洋菓子より圧倒的に低脂肪である。とはいえ、あまりストイックになりすぎてストレスをためないよう注意しよう。

　同じ3大栄養素のなかでも糖質やタンパク質が体脂肪になるには、脂肪を「合成」するエネルギーが必要になり、3割ほどの蓄積ロスがある。一方、脂質が体脂肪に合成される場合は、ほとんどロスを生じない。食べた脂肪がそのままカラダに、もあながち大げさではない。

できれば気をつけたいプラス4
スリムなカラダを実現するポイント！

POINT2 「飲酒のおつまみ」こそ肥満のもと

　お酒の席ではどうしても脂もののつまみに箸が進みがちになる。おいしく食べて楽しく飲むのはもちろん大切なことなので、その楽しみをじゃましない程度に少し気遣ってみるといいだろう。量を摂りすぎずに、脂っこいものを少し控えるといい。ちなみにアルコール自体は7kcalのエネルギー量を持つが、体内ですぐに消費されてしまう。とはいえ飲酒量も度を超さないことも大切だ。

　また飲んだあとは、ラーメンよりお茶漬けがおすすめ。塩気がほしくなるので麺類を食べたくなるものだが、お茶漬けという選択肢もあることを覚えておくといい。酔っていると制御が利きにくくなるが、体形をつくり上げている段階では特に気をつけてほしい。

POINT3 甘いものは「飢餓状態の解消」のために

　甘いものとは砂糖、ショ糖や果糖などの小さな糖質が多く含まれる食品。小さな糖質は吸収が早いため、瞬時に血液中に放出され血糖値を上げる。いわゆるGI値の高い食べ物だ。GI値が高いと、食べたエネルギーの吸収速度がカラダが消費する速度を上回るため、体脂肪としてストックされやすくなる。

　しかし、GI値の高い食品がカラダに必要な場合もある。体内の貯蔵エネルギーが枯渇しているときがそれ。運動でエネルギーを使ったあとや睡眠で長時間エネルギーを摂れなかった起床時、疲労困憊などのときなら、甘いものは速やかなエネルギーの補給源として適している。ただし、どのタイミングでも摂りすぎると確実に体脂肪になる。100～200kcal程度に抑えたほうがいいだろう。

知ってはいてもつい忘れがち！
ちょっと意識すれば習慣にできる

POINT4 全身の「満腹感」は忘れたころにやってくる

　ごちそうが食卓に並ぶと、つい満腹になるまで食べてしまうもの。この満腹感は、食事で全身に取りこまれた栄養分による血糖や血中脂質の濃度の上昇、胃の膨張感でもたらされる。ただし食べたものが消化・吸収されてカラダに取りこまれるまでには、どんなに早くとも20分程は時間が必要。食事中に満腹を感じるようでは、すでに食べすぎているのだ。好物でもゆっくり噛んでよく味わい、量よりも質の高い食事を心がけてほしい。腹八分目の習慣は、数日間実行すれば簡単に身につくので、この機会にぜひトライしてもらいたい。

　ちなみに体重を増やしたい力士は、全身と胃で起きる満腹感の時間差を利用して、大急ぎで大量に食べ、無理やりカラダを大きくしている。

外食メニューのカロリー表

主要な食事のエネルギー量を頭に入れておくと摂取・消費のエネルギー収支バランスを保てる

■定食部門：洋食より和食。とんかつ定食を食べるならロースより、断然ヒレを

	エネルギー	タンパク質	脂質	糖質
ほっけ焼き魚定食	約720kcal	41g	14g	101g
ハンバーグライス	約1020kcal	38g	44g	115g
サーロインステーキライス	約1020kcal	44g	47g	101g
ロースかつ定食	約1330kcal	42g	72g	120g
ヒレかつ定食	約980kcal	39g	38g	116g

和食は比較的低脂肪低カロリー。とんかつは1000kcalを超えるかなりのハイカロリーで、特にロースかつ定食は脂質たっぷり。洋食でポテトフライがついていたりすると、それも高脂肪摂取の原因となる。焼き魚定食でも、種類によってはサバのように高脂肪なものもあるので要注意。

■麺類部門：こってり系のスープまで飲む人は要注意

	エネルギー	タンパク質	脂質	糖質
ラーメン：こってり系	約800kcal	30g	49g	60g
ラーメン：あっさり系	約500kcal	17g	22g	60g
天ぷらうどん	約460kcal	14g	11g	73g
天ぷらそば	約490kcal	20g	12g	71g

麺一玉の栄養成分

	エネルギー	タンパク質	脂質	糖質
ラーメン	約300kcal	8g	4g	58g
そば	約320kcal	14g	2g	60g
うどん	約290kcal	8g	1g	62g

ラーメンの場合は、麺自体にではなく、スープに大量の脂質が含まれていることが多い。特にこってりラーメンのスープは要注意。50g近い脂質があるものも少なくない。

対してうどん、そばは比較的低カロリーで、天ぷらをのせてもまだラーメンよりカロリーは抑えられる傾向。

■丼もの部門（並盛）：カレーは想像以上に高カロリー、ランチには海鮮丼がおすすめ

	エネルギー	タンパク質	脂質	糖質
牛丼	約680kcal	14g	21g	101g
親子丼	約700kcal	26g	16g	104g
とりそぼろ丼	約630kcal	25g	15g	100g
カレーライス	約700kcal	15g	15g	100g
海鮮丼	約620kcal	26g	6g	110g
シーフードドリア	約670kcal	29g	31g	64g

手軽に摂れる丼ものだが、カロリーまでお手軽というわけではない。女性がよく注文する小さな容器に入ったドリアはお皿も小さくカロリーも少なめ…ではない。かなりの高脂肪メニューなので小さくても相当ハイカロリーなのだ。対して海鮮ものは低脂肪低カロリー。ダイエットの強い味方になるだろう。

■軽食部門：ヘルシーなイメージのサンドイッチでも、カロリーはおにぎりとほぼ同じ

	エネルギー	タンパク質	脂質	糖質
おにぎり2個・ツナと鮭	約380kcal	10g	3g	80g
サンドイッチ2個・ツナと卵	約370kcal	14g	24g	25g

※ここでの数値は一般的な例で、タンパク質4kcal、糖質4kcal、脂質9kcalで算出。あくまで目安として参考にしてください

手軽な食事として便利なおにぎりとサンドイッチ。サンドイッチはバター、マヨネーズを多く使っている意外な高脂肪食。一度に2〜3個は軽く食べてしまいがちだが、食べすぎは脂肪の摂りすぎになりかねないので注意。

■ジャンクフード部門： フライとノンフライでは脂質もカロリーもこんなに違う

	エネルギー	タンパク質	脂質	糖質
カップめん・フライ麺	約560kcal	12g	29g	63g
カップめん・ノンフライ麺	約330kcal	9g	6g	61g

カップ麺の種類はフライとノンフライに大別できる。当然低脂肪のノンフライを選べば、カロリーも脂質も大幅に抑えられる。購入時にチェックしよう。

■デザート部門： 低カロリーなら断然、和菓子の勝利

	エネルギー	タンパク質	脂質	糖質
ショートケーキ1個	約400kcal	9g	16g	55g
アイスクリーム1カップ(150g)	約240kcal	4g	11g	30g
大福もち1個	約160kcal	3g	0.5g	37g
どら焼き1個	約220kcal	5g	3g	42g
たい焼き1個	約270kcal	6g	2g	58g

甘いものも、摂るタイミングによっては筋肉へのエネルギーチャージに有効（P162参照）。ただしその場合も、なるべく低脂肪でカロリーも過剰にならないものを選ぶほうがいい。和菓子は洋菓子よりも断然低脂肪低カロリーだから、甘いものがほしくなったときに上手に利用したい。

■ドリンク部門： 食事にスポーツドリンクではカロリーオーバー

	エネルギー	タンパク質	脂質	糖質
牛乳	約140kcal	7g	8g	10g
100%フルーツジュース（りんご）	約100kcal	0g	0g	12g
ミルクコーヒー・ミルクティー	約75kcal	1g	1g	15g
スポーツドリンク	約55kcal	0g	0g	14g
スポーツドリンク・カロリーオフ	約20kcal	0g	0g	5g
お茶	0kcal	0g	0g	0g
ダイエットコーラ	0kcal	0g	0g	0g

コップ1杯（200ml）についてのデータを左に示した。意外とハイカロリーなものが多いため、1日に数杯飲んでしまうのは危険。また、スポーツドリンクは本来エネルギー補給が目的なのでカロリーは割と高め。ただし最近はカロリーカットの商品も多く、ハイ＆ローの2タイプが混在しているといえる。

タンパク質は筋肉の材料。1日に体重(kg)×1.5〜2gは摂りたい

人生を有意義に過ごすために、おいしく食べることはとても大切だ。ただ、同じ食べるならどちらがカラダにとってポジティブかを、ある程度知ったうえで選べるほうがいいだろう。

1日の摂取エネルギーの目安は、目標体重×30kcal程度とされている。目標体重が60kgなら1800kcalといった具合だ。

また、エネルギー摂取量と並んで脂質の摂取量にも注意を払ってほしい。食が欧米化してその摂取量が増えたことが、肥満の一大原因。肥満のみならず大腸がんになるリスクも高まるので注意が必要だ。理想としては摂取エネルギーの20%以内にとどめる。1日の摂取エネルギーが2000kcalの場合、2000kcal×20%＝400kcal。1gが9kcalだから、摂取量の目安は45g程度となる。

タンパク質は筋肉の材料となるので、しっかりと摂るべき。体重（kg）×1.5〜2g程度を摂取するのが理想だ。たとえば、体重70kgの場合なら、70kg×1.5〜2倍＝105〜140gとなる。

成分カロリーは1gにつき糖質4kcal、タンパク質4kcal、脂質9kcal、食物繊維0kcal。脂質は同じボリュームでも糖質やタンパク質に比べて2倍以上、対して繊維は0。端的にいって油ものは高く、野菜類は低いということになる。

これを覚えておくだけでも、良質な食品選びの有効な指標となるだろう。

インスリンを利用した上手な食べ方

Device of meal

**インスリンは筋肉も脂肪もつける両刃の剣。
甘いものもタイミングしだいでは筋肉増強に**

　低インスリンダイエットがブームになったためか、インスリンは体脂肪をつけさせる宿敵、と眼の敵にされているようだ。たしかに、甘いものを摂るとインスリンが大量に分泌し、脂肪をつけやすくする。しかし上手に利用すれば、インスリンには筋肉増強を促す効果もあるのだ。

　インスリンは食事によって増えた血液中の糖質を細胞に取りこみ、血液の糖質濃度を下げる。糖質の行き場は大別すると筋細胞か脂肪細胞の2つ。筋肉がエネルギーで満たされているときに甘いものを食べるとインスリンは脂肪細胞に働き、糖質を脂肪細胞に取りこんで脂肪を合成する。しかし、激しく運動したあとは筋肉内のエネルギー（糖質）は不足する。このタイミングで甘いものを食べると、インスリンは筋細胞に働き、筋肉はすみやかにエネルギーをチャージするので肥大にプラスに働く。さらに、筋肉の材料となるタンパク質（アミノ酸）補給を同時に行うと、筋肉の合成が高まる。運動後の速やかな回復と筋肉の肥大にとって、インスリンは頼もしい味方になってくれるのだ。

　筋肉を効率的につけたい人は、トレーニング直後にプロテイン、もしくはアミノ酸を10～20g摂ろう。同時にGI値が非常に高い「砂糖」を20～30gほど摂るといい。インスリンの作用で、糖質とアミノ酸をすみやかに筋肉に運んでくれる。この場合のインスリンは脂肪合成にはあまり働かないのだ。

糖質と炭水化物ってなに？

糖質と呼ばれるもの
- ブドウ糖
- 果糖
- 単糖類
- 二糖類
- 砂糖

特徴：甘い　インスリンが出やすい

→ 運動後・起床時に摂ろう

炭水化物と呼ばれるもの
- 多糖類
- でんぷん

特徴：甘くない　インスリンが出にくい

→ ふだんの食事で摂ろう

糖質と炭水化物はどう違う？

　一般に糖質と呼ばれるのは、分子量の小さい単糖類（ブドウ糖、果糖など）、二糖類（砂糖など）の甘いものを指す。また炭水化物と呼ばれるのは、分子量の大きい多糖類（でんぷん）の甘くないものを指す。しかし化学的な定義は「糖質＝炭水化物」なので、じつはご飯も砂糖も糖質であり炭水化物なのだ。

　両者の特徴は、小さな糖質は吸収速度が速く血糖値をすばやく上げるので、インスリンが出やすいが、大きな糖質は消化の手間がかかるぶん吸収が遅いので、インスリンが出にくいことにある。

　運動後や起床時は甘い小さな糖質、ふだんの食事では甘くない大きな糖質で血糖値を緩やかに上げるのが、太りにくいカラダをつくるよい糖質の摂り方といえる。

サプリメントの有効性

栄養摂取の基本はバランスのとれた食事
しかしサプリメントは食事にはないメリットを持つ

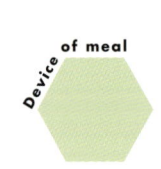

Device of meal

サプリメントはその名の通り「補助」するための「栄養補助食品」である。栄養摂取ではバランスのとれた食事がなによりも大事だが食事を徹底的に管理していれば不要かというとそうともいいきれない。

サプリメントには食事にない、独特のメリットがあるのだ。また、サプリメントというと薬をイメージする人もいるがタンパク質などの特定の栄養素を抽出した「食品」。大量摂取さえしなければ安全なものなので上手に活用しよう。

Merit 1 カラダに足りないものを不足分だけ補給

サプリメントは、食事で不足するものを適量だけ補給できるのがメリット。プロテイン（タンパク質）やアミノ酸（タンパク質を分解したもの）、ビタミンA、C、Eなどの抗酸化物質が知られている。

筋肉をつけるもっとも重要な栄養素は、その材料となるタンパク質だが、トレーニングを行うなら1日に100〜150g程度は必要。しかし、ふだんの食事で必要なタンパク質量を摂ろうとすると、必要以上の脂質まで摂ってしまう。肉、魚、乳製品などのタンパク質が多く含まれる食品には、たいてい脂質も多く含まれるからだ。サプリメントならその心配はない。ほしいものだけ選んで摂れるのだ。

ちなみにアミノ酸がカラダにいいと、その類の食品が一時期流行していたが、たとえば1000mgといってもたったの1g。タンパク質

■トレーニング前後のプロテイン摂取方法の参考例

運動20分前
100%フルーツジュース 200ml
＋
ホエイプロテイン 10g

運動の直後
飲みやすいドリンクに砂糖10〜20g
＋
ホエイプロテイン 10〜20g

※痩せている人は、左記よりトレーニング後は少し目に摂取することが望ましい

Merit 2 筋肉が必要とするタイミングで手早く供給

を分解したものだから吸収が非常に早いというメリットはあるが、筋肉をつけるには気休め程度にしかならない。しかも必要量を摂取するには、高くついてしまいがち。効率を考えてうまく使い分けよう。

筋肉を大きく成長させるには、運動前後に栄養を補給することが大切。しかしこれを食事で行うのはかなり困難。運動前の食事はお腹がもたれてしまうし、運動後は交感神経が興奮していて食事を受けつけにくい。無理に食べても消化によくないし、消化吸収の時間もかかるので標的の筋肉に届くまでに、かなり時間がかかってしまう。粉末を液体に溶かしてドリンクで摂れるサプリメントはお腹にもたれず、吸収も早い。いつでも手軽に筋肉に栄養を送り届けられるメリットもある（摂取法の参考例は上記を参照）。

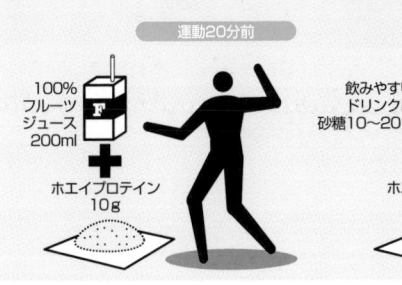

運動前後には、同じプロテインでもホエイ（乳清）タイプがおすすめ。消化吸収が非常に早く、もっとも吸収が早いアミノ酸より相当安く入手できる。ちなみにホエイは、牛乳で割ると胃の中で固まり、吸収が遅くなる。運動前後は水やオレンジジュースなどと飲むことで最速に消化吸収させ、トレーニング日の就寝前には牛乳と飲んでじっくり筋肉をつくる材料を供給できるようにするのもいい。

column 5

飲酒と肥満の関係

　ビール腹という言葉をよく耳にする。あなたのまわりにも立派なビール腹の方がいるのではないだろうか。その原因はどこにあるのか。

　アルコールは1g当たり7kcalであり、ビールや日本酒などの酒類のカロリーの大半を占めている。体内に蓄積できないのでそのカロリーはすばやく消費され、その一部は熱として放出される。それで酒を飲むとカラダが熱くなるというわけだ。アルコールのカロリーの一部は熱として放出されるので、あなたが思うほどは肥満の誘発に影響を与えていない。アルコールはビール腹の主犯ではなく、さしずめ共犯者といったところだろう。

　飲酒が肥満を誘発するおもな原因は、飲酒と同時に摂るつまみにある。アルコールの持つ食欲増進作用のため、つまみが進むのだ。ビールには唐揚げなどの高脂肪食がよく合い、カロリー摂取過剰を助長してしまいがち。同時にアルコールを摂ると水分が抜けるため、しょっぱいもの（塩分には水分貯留作用がある）がほしくなる。お酒を飲んだ帰りについ食べてしまうあのラーメンも、肥満を誘発する原因になっているのだ。

　酒量自体も気をつけなくてはいけないが、それよりも酒と同時に摂るつまみの量に気を配るべきだ。焼きナスなどの野菜ものを選べばカロリーを抑えられるし、ビタミンC、βカロチンなども摂れる二重のメリットがある。動物食品も、霜降り肉やトロでなく、タコ、イカ、ささみなどの低脂肪のものを選べばかなりカロリーを抑えられるだろう。最後に食べるラーメンをお茶漬けに替えるのも手だ。

　しかし、ストイックに低カロリーばかりにこだわってつまみを選ぶのはおそらく苦痛なはず。できれば低カロリーのつまみをいくつか選び、少し量を抑え、また惰性で食べてしまう量に気をつける。その心がけだけでも1か月後、2か月後のあなたの体形は確実に変わるはずだ。

Appendix
生活に取り入れて 効果アップ
日常トレーニング

痩せやすい体質づくりは、日常動作にひと工夫することで加速する

　[クイック→スロー]トレーニング以外にも、日常の生活動作から活動量を増やそうとすることは、健康増進や体脂肪の減少を大きく加速させる。何気なく過ごす日常生活はちょっとした有酸素運動であり、ひと工夫するだけでエネルギー消費量をアップできる。もちろん大きな効果がすぐに現れるわけではないが、日常のことだからこそ、継続したぶんだけ確実に成果が得られるだろう。

　日常生活でエネルギーをもっとも多く消費できる歩行動作にひと工夫加えるのが、非常に効果的で取り組みやすいといえる。また座っているときでも、部分的に腹筋などを鍛えられる。

　継続が第一なので、無理なく取り入れられる範囲で行おう。理想のカラダに近づくための確実な追い風にできるのだ。

千里の道も一歩から！

大腰筋ウォーキング&ステップアップ

手足を少し強めに振り出すウォーキング。全身のダイエット効果が期待できる

「手足の振り出しを少し強め」にして歩こう。お腹まわりの引き締めや、姿勢の改善、全身の痩身に効果的

大腰筋ステップ

階段を上るときは、手の振り出しを少し力強くしながら、ひざを天高く突き出すように蹴り上げる。階段も楽に上がれるようになる

大腰筋ウォーキング

　大腰筋、腹直筋などお腹まわりの筋肉を使う歩き方なので、ウエストの引き締めや姿勢の改善に効果的。歩行速度とともに運動量が増し、全身の体脂肪を落とす効果もある。血液や血管の環境改善にも有効で、生活習慣病の予防にもおすすめ。

　やり方は簡単で「手足の振り出しを少し強め」にするだけ。カラダがすいすい進む感覚を、すぐ体感できるだろう。手足を前に振り出す力が間接的に蹴る力をパワフルにしてくれるので、歩行速度が無意識に上がる。歩くフォームが、胸を張ったよい姿勢になるのもうれしい効果だ。胸を張って軽やかな気分で進むと階段を上がるのも楽になり、おのずと元気になり楽しくなってくるだろう。

ヒップアップ・ウォーキング&ステップアップ

最後の蹴り出しを強めに行う。ヒップアップに効果大!

ヒップアップ・ステップアップ

後ろ足で蹴り出すようにして階段を上っていく。お尻や太ももの裏側の筋肉が鍛えられて、ヒップアップに効果的だ

ヒップアップ・ウォーキング

後ろ足で地面を力強く蹴るウォーキング。感覚としては後ろ足だけで歩くようにするといい

　足が地面から離れる瞬間に強く蹴り出す歩き方なので、おもに後ろ足を使って歩く感覚があればいい。階段を上るときも同様に、後ろ足で強く蹴るようにする。
　一見単純そうだが、やってみると意外にハード。股関節伸展筋の大臀筋（お尻）、ハムストリングス（太ももの裏側）に負荷がかかるので、ヒップアップ効果が期待できる。また、蹴り出しが強くなるため歩行速度も高まり、運動強度もアップ。「大腰筋ウォーキング」より少しハードでエクササイズ色の強い歩き方なので、気が向いたときに気負いなく取り入れる程度でいいだろう。

Appendix……生活に取り入れて効果アップ 日常トレーニング

パームプレス&フィンガープル

デスクワークの合間にできる胸と背中の筋力アップトレーニング

パームプレス

フィンガープル

両手の4本の指を曲げて上下に組み合わせ、強く引き合う背中の筋力トレーニング。左右それぞれ3秒程度引き合う。左右交互に10回程度

左右の手のひらを合わせて、強く押し合う胸の筋力トレーニング。左右それぞれ3秒程度押し合う。左右交互に10回程度

　パームプレスは、両手のひらを合わせて強く押し合うトレーニング。右から左、左から右へと3秒くらいずつかけて押し合う。大胸筋という胸の大きな筋肉が鍛えられる。
　フィンガープルは、両手の4本の指をそれぞれ曲げて上下に組み合わせ、強く引き合うトレーニング。右から左、左から右へと3秒くらいずつかけて引き合う。背中の広背筋という筋肉が鍛えられる。
　どちらの種目も左右交互に10回程度行うと効果的だ。自分で運動の負荷を決めることになるので、抜かりなく全力で行うこと。きちんと行えれば胸、背中にパンプアップを感じられるはずだ。

ニーリフト&ヒップリフト

デスクワークの合間にできる腹筋と脚の筋力アップトレーニング

椅子に腰かけた状態から、お尻をほんの少しだけ浮かせるようにして、その姿勢を10秒間キープ。両手は机に軽く置いてカラダを支えるようにする。お尻と太もも前面の筋肉の引き締めに効果的

ニーリフト

椅子に浅く腰かけて背筋を伸ばし、両足をそろえてひざを上下するようにする。手は机に置いてカラダを軽く支えよう。20〜30回程度を目標に

ヒップリフト

　ニーリフトは、腹筋および太ももの前面が鍛えられるトレーニング。椅子に浅く腰かけて背筋をピンと伸ばし、机の上に手を置いてカラダを軽く支えるようにする。この状態で、左右の足をそろえ1秒に1回くらいのペースで、ひざを上下するように動かそう。20回程度でも腹筋が十分熱くなってくるだろう。

　ヒップリフトは、椅子に腰かけてからお尻を少しだけ浮かせ、お尻と太もも前面の筋肉を鍛えるトレーニング。両手は机の上に置いて、カラダを軽く支えるようにしよう。お尻を浮かせたらその姿勢を10秒間ほどキープ。デスクワークの合間におすすめのトレーニングだ。

運動能力別 カラダ年齢チェックシート

種目	男	女	得点	あなたの得点
①閉眼片足立ち 片足立ちで、目を閉じて足を動かさずにいられる時間（秒）	100以上	85以上	10	
	90-100未満	80-85未満	9	
	80-90未満	75-80未満	8	
	70-80未満	70-75未満	7	
	60-70未満	60-70未満	6	
	50-60未満	50-60未満	5	
	40-50未満	40-50未満	4	
	30-40未満	30-40未満	3	
	20-30未満	20-30未満	2	
	20未満	20未満	1	
②腕立て伏せ 2秒に1回の割合でできる回数（回）	31以上	13以上	10	
	28-30	11-12	9	
	25-27	9-10	8	
	21-24	8	7	
	19-20	7	6	
	16-18	6	5	
	13-15	5	4	
	11-12	4	3	
	6-10	2-3	2	
	0-5	0-1	1	
③立位体前屈 台の上に乗り、ひざを曲げずに上体を曲げて3秒間止められる位置（台の下の長さを計測：cm）	18以上	21以上	10	
	16-17	19-20	9	
	14-15	18	8	
	12-13	16-17	7	
	11	15	6	
	9-10	13-14	5	
	8	11-12	4	
	6-7	9-10	3	
	3-5	5-8	2	
	0-2	0-4	1	

体力年齢判定基準表

46点以上	20-24歳	38-39	35-39歳	30-32	50-54歳	22-24	65-69歳
43-45	25-29歳	36-37	40-44歳	27-29	55-59歳	20-21	70-74歳
40-42	30-34歳	33-35	45-49歳	25-26	60-64歳	19以下	75-79歳

種目		男	女	得点	あなたの得点
④腹筋 30秒間にできた回数（回）		33以上	25以上	10	
		30-32	23-24	9	
		27-29	20-22	8	
		24-26	18-19	7	
		21-23	15-17	6	
		18-20	12-14	5	
		15-17	9-11	4	
		12-14	5-8	3	
		9-11	1-4	2	
		8以下	0	1	
⑤反復横跳び 1m間隔のラインをサイドステップで20秒間往復。ラインを通過するごとにカウント（点）		60以上	52以上	10	
		57-59	49-51	9	
		53-56	46-48	8	
		49-52	45-43	7	
		45-48	40-42	6	
		41-44	36-39	5	
		36-40	32-35	4	
		31-35	27-31	3	
		24-30	20-26	2	
		23以下	19以下	1	
⑥立ち幅跳び 両足踏み切りのつま先部分から、着地のかかと部分までを計測（cm）		260以上	202m以上	10	
		248-259	191-201	9	
		236-247	180-190	8	
		223-235	170-179	7	
		210-222	158-169	6	
		195-209	143-157	5	
		180-194	128-142	4	
		162-179	113-127	3	
		143-161	98-112	2	
		142以下	97以下	1	
⑦歩行 男性1500m、女性1000mを歩ききる時間（分秒）		8分47秒以下	7分14秒以下	10	
		8分48秒-9分41秒	7分15秒-7分40秒	9	
		9分42秒-10分33秒	7分41秒-8分06秒	8	
		10分34秒-11分23秒	8分07秒-8分32秒	7	
		11分24秒-12分11秒	8分33秒-8分59秒	6	
		12分12秒-12分56秒	9分00秒-9分27秒	5	
		12分57秒-13分40秒	9分28秒-9分59秒	4	
		13分41秒-14分29秒	10分00秒-10分33秒	3	
		14分30秒-15分27秒	10分34秒-11分37秒	2	
		15分28秒以上	11分38秒以上	1	

あなたの合計（①＋②＋③＋④＋⑤＋⑥＋⑦）点は　　　　　　　　　　点

Appendix ……… 生活に取り入れて効果アップ日常トレーニング

成果を確認することが大切！
サイズ記入グラフ
具体的にサイズを測り、記録することが大切。
モチベーションを高め、トレーニングを継続する励みとなる

トレーニング効果をひと目で確認できる折れ線グラフ。
一週間ごとに測定すると、カラダの変化が一目瞭然！

使い方

グラフの縦軸の目盛りは、自分のサイズに合わせて書き込む。たとえば体重なら、大きいひと目盛りを500ｇにすれば5㎏まで、1㎏にすれば10㎏までの範囲を記入できる。体重と体脂肪率、ウエストとヒップは同じグラフにそれぞれ色分けしてつけるようにしよう。

2か月たっても効果が確認できなかったら、トレーニングのやり方、食事の質や量などに問題がないか、一度チェックしてみることをおすすめする。数か月後には、あなたのカラダが確実に変化しているにちがいない。

体重／体脂肪率

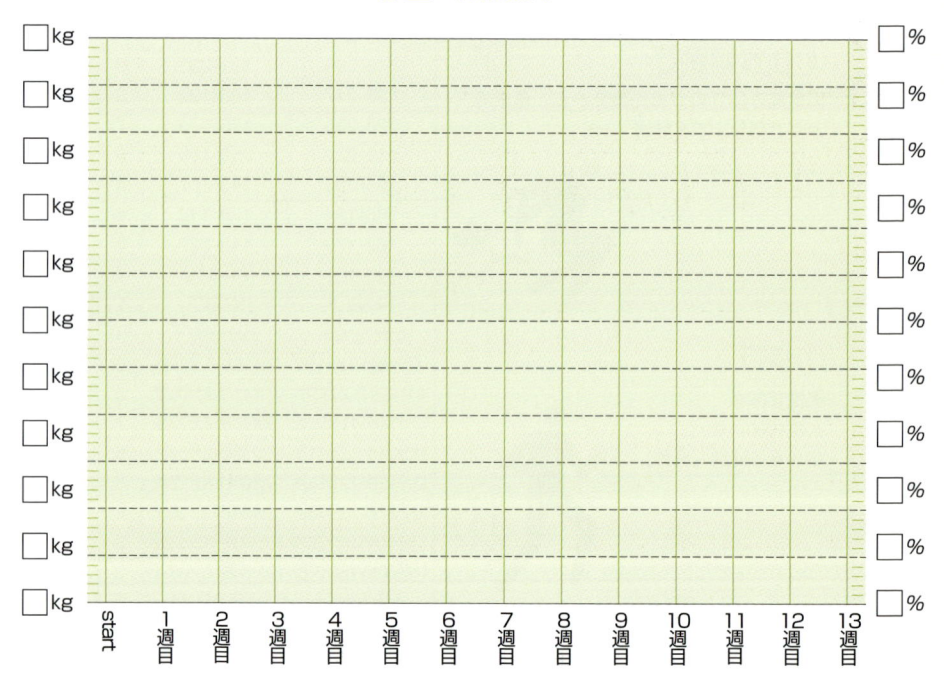

	start	1週目	2週目	3週目	4週目	5週目	6週目	7週目	8週目	9週目	10週目	11週目	12週目	13週目	
kg															%

ウエスト・ヒップ

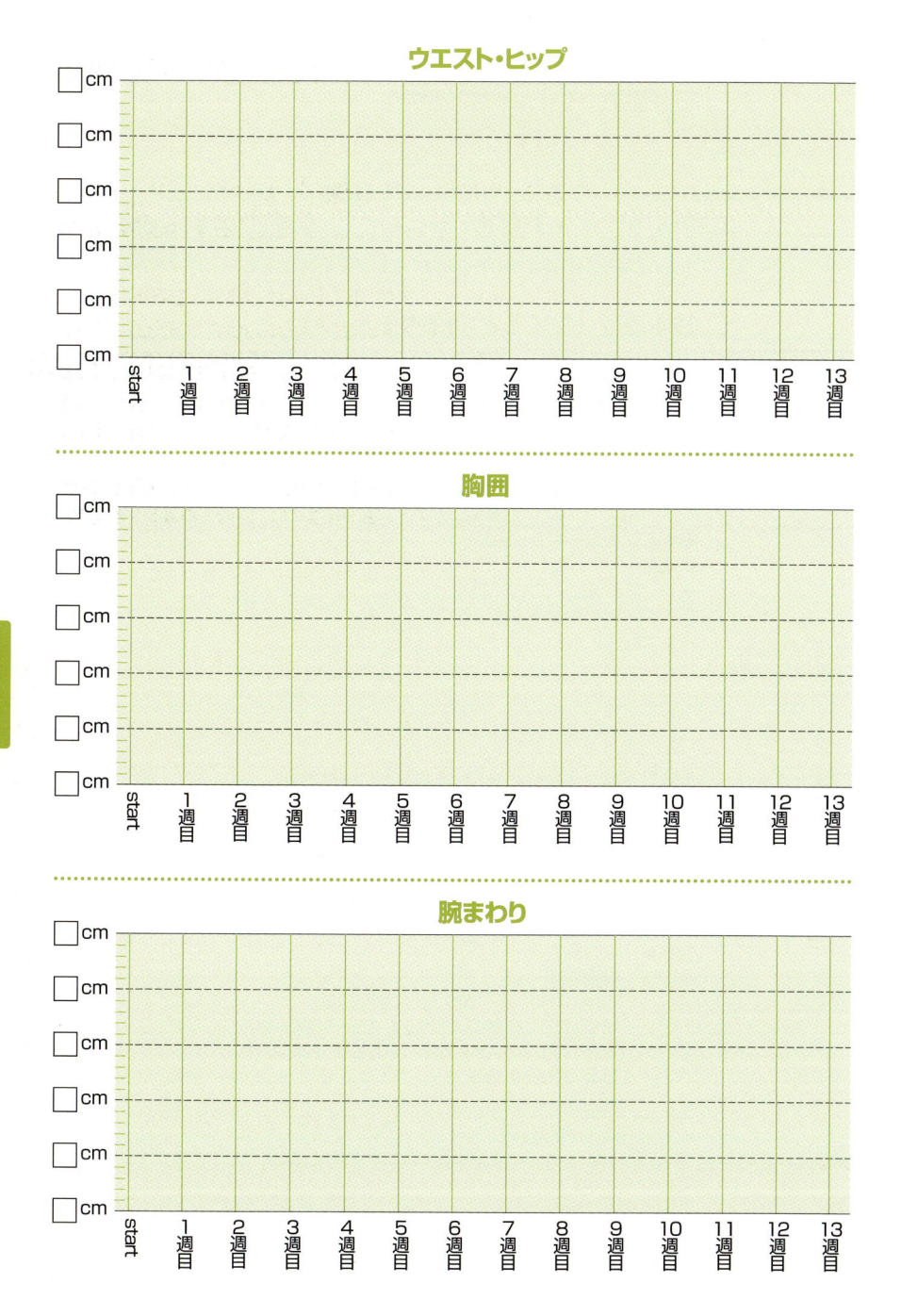

胸囲

腕まわり

Appendix ……… 生活に取り入れて効果アップ 日常トレーニング

[Quick→Slow] Training

●著者

石井直方（いしい なおかた）

1955年東京都生まれ。東京大学教授、理学博士。専門は身体運動科学、筋生理学。81年ボディビル世界選手権3位、82年ミスターアジア優勝など、競技者としても輝かしい実績を誇る。エクササイズと筋肉の関係による、健康や老化防止についてのわかりやすい解説には定評があり、テレビ番組への出演や雑誌の監修など活躍の場は広い。監修書に『大腰筋で即効！お腹やせ』(小学館)などがある。

谷本道哉（たにもと みちや）

1972年静岡県生まれ。近畿大学生物理工学部人間工学科講師。大阪大学工学部卒。東京大学大学院博士課程修了。博士(学術)。専門は筋生理学、生化学。スポーツ・トレーニングを、遺伝子・細胞から生体の運動パフォーマンスまで、ミクロからマクロなレベルにわたって研究している。著書に『スロトレ』(高橋書店)、『使える筋肉・使えない筋肉』(ベースボールマガジン社)などがある。

編集協力 権藤海裕(Les ateliers)
執筆協力 吉田正広
撮　　影 川西正幸／河野大輔
デザイン 広瀬恵美(Works sein)
イラスト サノマリ

1日10分[クイック→スロー]で自在に肉体改造

体脂肪が落ちるトレーニング

著　者　石井直方
　　　　谷本道哉
発行者　髙橋秀雄
編集者　小元慎吾
発行所　高橋書店
　　　　〒112-0013　東京都文京区音羽1-26-1
　　　　編集 TEL 03-3943-4529 ／ FAX 03-3943-4047
　　　　販売 TEL 03-3943-4525 ／ FAX 03-3943-6591
　　　　振替 00110-0-350650
　　　　http://www.takahashishoten.co.jp/

ISBN978-4-471-14390-9
Ⓒ ISHII Naokata, TANIMOTO Michiya　Printed in Japan
定価はカバーに表示してあります。
本書の内容を許可なく転載することを禁じます。また、本書の無断複写は著作権法上での例外を除き禁止されています。本書のいかなる電子複製も購入者の私的使用を除き一切認められておりません。
造本には細心の注意を払っておりますが万一、本書にページの順序間違い・抜けなど物理的欠陥があった場合は、不良事実を確認後お取り替えいたします。下記までご連絡のうえ、小社へご返送ください。ただし、古書店等で購入・入手された商品の交換には一切応じません。

※本書についての問合せ　土日・祝日・年末年始を除く平日9：00〜17：30にお願いいたします。
　内容・不良品・☎03-3943-4529（編集部）
　在庫・ご注文・☎03-3943-4525（販売部）